Y0-CAR-842

EVEREST
402

ASLI ERDOĞAN

1967, İstanbul doğumlu. Bilgisayar mühendisliği ve fizik okudu, yüksek lisansını CERN'de (Avrupa Yüksek Enerji Fiziği Laboratuvarı) hazırladı. Rio de Janeiro'da başladığı fizik doktorasını yarıda bırakarak yazmayı seçti, iki yıl Güney Amerika'da yaşadı. İlk romanı *Kabuk Adam* 1994'te, öykü kitabı *Mucizevi Mandarin* 1996'da yayımlandı. *Tahta Kuşlar* adlı öyküsü Deustche Welle Ödülü kazandı, dokuz dile çevrildi. İkinci romanı *Kırmızı Pelerinli Kent* (1998), Fransızca ve Norveççeye çevrilerek Actes Sud ve Gyldendal Yayınları'nın "Marg" (Omurilik) Serisi'nde yayımlandı. *Radikal*'deki köşe yazılarını *Bir Yolculuk Ne Zaman Biter* adlı kitabında topladı (2000). *Lire* dergisince "Geleceğin 50 Yazarı" arasında gösterilen Erdoğan'ın 2005'te yayımlanan *Hayatın Sessizliğinde* adlı şiirsel-düzyazı metni, Dünya Yayınları tarafından düzenlenen yılın kitabı ödülünü kazandı. 2006'da gazete ve çeşitli dergilerde çıkan yazılarının toplandığı iki seçkisi, *Bir Kez Daha* ve *Bir Delinin Güncesi* yayımlandı. 2009'da öykü kitabı *Taş Bina ve Diğerleri* yayımlandı. Uluslararası basında kendisinden övgüyle söz edilen yazarın, eserleri halen pek çok dile çevrilmeye devam ediyor.

ASLI ERDOĞAN

KABUK ADAM

§

Yayın No **402**
Türkçe Edebiyat **111**

Kabuk Adam
Aslı Erdoğan

Kapak tasarımı: Utku Lomlu
Sayfa tasarımı: Zülal Bakacak

1. Basım: Mayıs 1994, Mitos Yayınları
2. Basım: Şubat 2002, İş Kültür Yayınları
3-6. Basım: 2006-2012, Everest Yayınları
7. Basım: Kasım 2013
8. Basım: Ağustos 2016
9-10. Basım: Ağustos 2016

ISBN: 978 - 975 - 289 - 309 - 0
Sertifika No: 10905

Baskı ve Cilt: Melisa Matbaacılık
Matbaa Sertifika No: 12088
Çiftehavuzlar Yolu Acar Sanayi Sitesi No: 8
Bayrampaşa/İstanbul
Tel: (0212) 674 97 23 Faks: (0212) 674 97 29

EVEREST YAYINLARI
Ticarethane Sokak No: 15 Cağaloğlu/İSTANBUL
Tel: (0212) 513 34 20-21 Faks: (0212) 512 33 76
e-posta: info@everestyayinlari.com
www.everestyayinlari.com
www.twitter.com/everestkitap
www.facebook.com/everestyayinlari
www.instagram.com/everestyayinlari

Soukouna'ya

KABUK ADAM

Bazen insana hiçbir şey hatırlamak kadar acı veremez, özellikle de mutluluğu hatırlamak kadar. Unutamamak. Belleğin kaçınılmaz intikamı. Herhangi bir iz taşınıyorsa eğer, bu bir zamanlar bir yara açıldığındandır.

Yaşadığımız anları dondurup cümlelere dökme çabası, çiçekleri kurutup kitap yaprakları arasında ölümsüzleştirmeye benzer. Hepimizin çoktan öğrendiği gibi, bir öykü, gerçekten yaşanmış da olsa, gerçekliği yansıtmaktan çok uzaktır, onun birkaç resminden, simgesinden oluşmuştur. Az sonra başlayacağım, Karayipler'de geçen o korkunç öyküyü yaşamış kişi benim. Oysa biliyorum ki, son noktayı koyduğumda, elimde bulacağım, gerçeğin tortusundan ibaret olacak. Yaşadıklarım, o her biri elmas değerindeki anlar su damlaları gibi kayıp gitti avcumdan. Gerçekliğin sonsuz okyanusundan tek bir deniz kabuğu kaldı geriye. Ona kulağımı dayayarak sonsuz bir şarkıyı sözcüklere dökmeye çalışacağım. Anlayabildiğim, yorumlayabildiğim kadarını elbette.

Size Kabuk Adam'ın öyküsünü anlatacağım, tropik bir adayı, cinayet ve işkencenin, şiddetin bataklığında filizlenen bir aşkı, içinde yetiştiği toprak kadar acı dolu bir aşkı anlatacağım. Çıldırtıcı gücünü, sonuna dek yaşanmayan arzulardan, en gizli hayallerden alan bir tutkuyu, ölümle yaşamın sınırında kurulan mucizevi bir dostluğu ve bütün yıkımların nedeni olan korkuyu, insanın en temel özelliği olan korkusunu, alçaklığını, umutsuz yalnızlığını...

Tropiklerde, o gözden ırak adada öğrendim ki, cennetle cehennem iç içedir, ancak bir katil bir peygamber olabilir ve insan bir başkasına, aynı karabüyü ayinlerindeki gibi, dönüşebilir, çünkü insanın tam zıddı gene kendisidir.

Aradan bir yıla yakın bir zaman geçti. İstanbul'da, karlı bir mart akşamı, sobanın yanına oturmuş, tropiklerin bunaltıcı sıcağını, palmiyelerin durmak bilmeyen hüzünlü danslarını ve okyanusu düşlüyorum. Mercan kayalıklarını binlerce yıllık bir öfkeyle döven hırçın okyanus. Hayatımda ilk kez görüyordum onu, görkemliydi, ulaşılmazdı, bulabileceğim bütün imgelerden çok daha büyüktü. Yaşamın olduğu kadar sonsuzluğun da kaynağıydı. Bir peygamberdi o, bir katil, bir karabüyücü. İşte, ancak o zaman, okyanusu hatırladığımda, Kabuk Adam Tony de gözlerimin önünde beliriyor. Kısacık boyu, derin yara izleri ve kapkara gözleriyle Kabuk Adam. Sonra hepsi, yavaşça geri geliyor; palmiyelerle kaplı kumsal; gettonun girişindeki tahta iskele, deniz kabukları, hindistancevizi ağaçlı buruna yolculuk, beni kendimden dışarı çıkarıp, yasak bir dünyaya, bir başka insana taşıyan yolculuk. Ölüm, korku, dehşet, arzu, yağmurlar, dans, siyah sular, cinayet, gece bulutu, arzu. Ve aşk. Ve yitirmek. Bir geceyarısı, kamp ateşinin solgun ışığında parıldayan bıçak.

Bana okyanusun şarkısını öğreten Kabuk Adam, öylesine derin, yırtıcı ve gerçekdışı bir aşkla sevdiğim Kabuk Adam Tony.

Tony'yi tanıdığım yaz, hemen hemen bitmiş bir insandım. Yaklaşık iki yıldır, Avrupa'nın en büyük nükleer fizik laboratuvarında çalışıyordum. Meslektaşlarıma, akrabalarıma, Türkiye'deki dostlarıma göre (aslında tek bir dostum bile yoktu) övünülecek bir konumdaydım. En iyi okulların diplomalarını kâğıt peçeteler gibi üst üste yığmış, böylesine genç bir yaşta, yirmi beş yaşındaydım, bu dev laboratuvarda tez olanağı elde eden ilk Türk öğrencilerden biri olmayı başarmıştım. Üstelik de bu alandaki kadın fizikçilerin oranı yüzde beşi bile zar zor buluyordu. Uzun yıllar baleyle uğraştığım, kısa ömürlü edebiyat dergilerinde öyküler yayımlatıp, ödüller kazandığım için "çok yönlü" diye tanımlanırdım. Sonuçta, insanlara pazarlayabileceğim birkaç özelliği, birkaç kurumsal başarıyı, gene kâğıt peçeteler gibi diyeceğim, üst üste koymuştum. Oysa gerçekte ben, bunalımdan bir türlü kurtulamayan, hiçbir düşünceye, inanca ya da insana bağlanamayan, sürekli huzursuz, karamsar ve yapayalnız biriydim. Yaşama coşkumu çoktan kaybetmiş, belki de hiç kazanamamıştım. Bana kalırsa, kişisel tarihimin tek bir teması vardı; hayalkırıklığı. Ağır aile baskısı ve şiddetle dolu geçen çocukluk yıllarım, dünyayı, acı çekenler ve çektirenlerin bulunduğu bir savaş alanı gibi algılamama neden olmuştu ve sanırım haklıydım da. Emekleme çağımdan beri, sadece zeki ve başarılı olduğum sürece sevgi – ya da "sevgi" diye adlandırılan bir şeyi göreceğimi öğretmişlerdi bana, ama hiç kimse, sevmeyi nasıl başaracağımı öğretmemişti. Hayatıma girenler de, bir yandan beni pohpohlarken, bir yandan da burnumu alabildiğine sürtmeyi görev edinmişlerdi. (Sonraları bunun, erkeklerin kadınlara karşı genel bir tavrı olduğuna karar verdim.) Daha bu yaşta, sinirli insanların, ömürlerinin ortasında edindikleri kolit, ülser, astım gibi hastalıkların tümüne sahiptim. Hepsinden önemlisi, ölüme hazırlanan yaşlı bir kadın kadar umutsuz ve kırgındım.

Bu araştırma merkezi, beni çökerten son darbe olmuştu, içten içe çürümüş bir ağacı deviren fırtına gibi. Böyle bir yere kabul edilmenin boş gururu kısa zamanda aşınmış, kaskatı gerçeklikle yüzleşmek zorunda kalmıştım. Burası, fizikçi jargonunda denildiği gibi, bir gettoydu ya da bir manastır. Bizden istenen üç şey vardı: Çalışmak, çalışmak, çalışmak. Hastalanmadan, üzülmeden, bunalıma girmeden, âşık olmadan, hiç teklemeyen bir jet motoru gibi çalışmak. Haftanın yedi günü, günde on dört, deneyler başladığında on altı saat çalışmak; bir sonraki toplantıya yetiştirilmesi ve kesinlikle hatasız olması gereken raporlar, yerin yüz metre altında, küçük, kapalı odalarda tutulan vardiya nöbetleri, bilgisayarın başında çabucak biten geceler. Aldığım eğitim sonucu çalışmaya, kendimi işime adamaya alışıktım, ama burada, en tembellerden ve kaytarıcılardan biri olup çıkmıştım. Ne kadar istesem de -istemiyordum da- o Çin'den, Japonya'dan, Hindistan'dan gelmiş, sürekli, hiç yorulmadan çalışan, bilgisayar ekranından yalnızca üç-beş saatlik bir uyku için ayrılan, hırslı, "süper-zekâ" doktora öğrencileri gibi olamazdım. Çünkü yaşamaya katlanabilmenin bazı koşulları vardı: Okumak, öykü yazmak, arada bir dans etmek, sokaklarda başıboş dolaşmak gibi. Bunların bedeli de çok pahalıydı, maaşım kesilmiş, kariyerim bitme noktasına yaklaşmıştı.

Böyle bir yerde yıllarca tutunabilmek için, insanın bir tutkusunun, işi dışında herhangi bir bağlılığının olmaması, kendi benliğini gözden çıkarmayı, bedenini dışlamayı, duygularının çoğunu bastırmayı öğrenmesi gerekir. Laboratuvardaki herkes, şu ya da bu biçimde korkunç bir yalnızlığı ve ruhsal çöküntüyü dışa vuruyordu; bir hapishanede olduğu gibi, görünmeyen, çok güçlü kurallar insan ilişkilerini yönlendiriyordu. Gözü dönmüş bir hırs, ispiyonculuk, paranoya, katı duygusuzluk, depresyon, cinsel doyumsuzluk, yaygın bir alkol alışkanlığı, hatta şizofreni; işte böylesine kokuşmuş bir ortam. İnsanlığın en üretken ama aynı zamanda insana karşı en duyarsız kurumundaydım ve yanlış toprağa ekilmiş bir bitki gibi hızla kuruyordum.

Tek arkadaşım olan Maya, şöyle özetlerdi koşulları: "Burası, en yakın dostunuz kafasına bir silah dayadığında, başınızı çevirip bakacak zamanı, gücü, hatta isteği bile bulamayacağınız bir yerdir." Ben de şöyle eklerdim: "Zaten dostunuz da yoktur." Aslında biz, ikimiz, çok şanslıydık, çünkü o koşullar için olağanüstü bir dostluk kurmayı ve yaşatmayı başarmıştık. Maya bu çılgın, delidolu kız, Yunan'dı, gerçek bir Yunan hem de. Homeros, Yunan trajedileri; Kavafis ve o şarap renkli deniz vardı iri, depderin gözlerinde. İlyada'dan, Macbeth'den, Ömer Hayyam'dan dizeler okurdu ezbere; üç dili su gibi konuşur ve bu üç dilde, inanılmaz güzellikte şiirler yazardı. Çok zeki ve duyarlıydı, bu iki özelliğin bir kadında birleşmesi, onu çoğu zaman felakete götürür. Maya da yıllardır "manik-depresif" olduğu gerekçesiyle tedavi görüyordu. Benim gibi eski bir balerin, yetenekli bir amatör ressamdı. Fiziği, şiiri, dansı, sevişmeyi, içkiyi, kedisini, birlikte olduğu erkekleri çılgıncasına, tutkuyla, ölesiye severdi.

Laboratuvardaki ilk yazımın sonlarına doğru, bir pazar akşamı, elimde Nabokov'un "YEİS"iyle ofisinin önünden geçiyordum. Aynı koridorda çalışıyorduk; gece gündüz bilgisayara bakan bu kapkara, hüzünlü gözler ve düşünceli yüz çoktan ilgimi çekmişti. Onu bir tanrıça heykeline benzetirdim o zamanlar; hep oturan ve düşünen, geniş kalçalı, doğurgan bir tanrıça. Sürekli çalışması, kendisine uyguladığı katı disiplin, keskin hatlı Grek yüzünün ödün vermeyen ciddiliği beni korkuturdu, kapısının önünden sessizce geçmekle yetinirdim. O akşam, birkaç saniyeliğine gözünü ekrandan ayırmış, gülümseyerek beni içeri davet etmişti. "Aa, Nabokov mu okuyorsun?" Uzun uzun edebiyattan söz etmiştik; *Lolita*, on dokuzuncu yüzyıl Rus romanı, kadın yazarlar... Şimdiye dek, edebiyatla bu kadar ilgilenen bir başka fizikçi daha tanımamıştım, ama sanırım daha ilk günden, ondaki edebiyat sevgisinin açığa çıkardığı çok önemli, temel özellikleri sezmiştim. Bir hafta sonra -artık her gün ofisine uğruyor ve günümün biricik mutlu dakikalarını orada geçiriyordum- bana üç yıl önce, iki bardak su ve altmış tane mor renkli uyku hapıyla kendini öldürmeyi denediğini anlattı. Hemen ardından da, yerinden fırlayıp dosyalarını toparladı ve bir toplantıya yetişmek üzere çabucak çıktı; beni sandalyeme mıhlanmış, gözlerim yaşlarla dolu bir halde bırakarak. Ertesi akşam, ben de ona benzer bir deneyimden geçtiğimi söyleyince, bir daha hiç ayrılmamacasına kenetlendiğimizi biliyorduk; trajik bir mucizenin birleştirdiği Siyam ikizleri gibi. Kısa zamanda, birbirimizin desteği olmadan, hayatımıza katlanamaz duruma geldik; depresyon kış yağmurları gibi bastırdığında, terk edildiğimizde, aşağılandığımızda, bizi kobra yılanı gibi izleyen intihar düşüncesi kafasını kaldırdığında, hep birbirimizi kurtarıyorduk. Bir yandan cezaevi ya da askerlik arkadaşlıklarına benziyordu ilişkimiz, ancak bu tür dostluklarda görülebilecek fedakârlıkları içeriyordu, ama aynı zamanda ortak geçmişlerin, ortak acıların, ortak ruhların kesişmesiydi. Bazen birbirimizi yansıtan iki ayna oluyorduk, bazen birbirimizi bütünlüyor, bazen de kendi gücümüzün son kırıntılarını ötekine aktararak sağ kalmayı başarıyorduk. "İçtikleri su ayrı gitmeyen Türk ile Yunan"ın ünü laboratuvara yayılmıştı; eminim ki, o erkek-egemen bilim dünyasının maço fizikçileri, bizi lezbiyen sanıyorlardı.

Karayipler'de, St. Croix adındaki küçük adada -Amerika'ya ait Virgin (Bakire) Adaları'ndan biridir bu- yapılacak Yüksek Enerji Fiziği seminerlerine, Maya kabul edilmemiş olsaydı başvurmazdım herhalde. NATO'nun finanse ettiği bu yaz okulunda, fizik dünyasının önde gelenlerinin ders vermesi umrumda bile değildi. Karayipler'e bedava uçak bileti ve bedava otele tav olmuştum daha çok; benim gibi yoksul bir Türk'ün eline, böyle bir fırsat hayatta bir kez geçerdi. Bunun bir tatil olmadığı, yönetici profesörün işi çok sıkı tutup günde en azından sekiz saatlik bir çalışmayı şart koştuğu konusunda uyarılmıştım gerçi. Zaten fizikçileri yeterince tanıyor ve beni bekleyen ortamı kolayca tahmin edebiliyordum. Gölgede otuz beş derecede, okyanusun kıyısında fizik problemleri çözen, fizikten başka bir şey görmeyen, düşünmeyen, konuşmayan, tatsız tuzsuz, renksiz insanlar. Gene de Karayipler beni büyülüyor, sayısız gizemi çağrıştırıyordu. İspanyolların, altınlarını yağmalamak için yok ettikleri o soylu halkın, Karayip Kızılderililerinin adını (onlardan geriye yalnızca bu ad kaldı; bu da yok oluşlarının en trajik yönü) taşıyan binlerce, on binlerce ada. Takımadalar, mercanadaları, okyanusun ortasında noktacıklar. Kölelikten kaçıp dağlara sığınan, gizli mağaralarda kasava zehiriyle toplu halde intihar eden Arawak kabilesi, onların madenlerdeki, plantasyonlardaki yazgılarını tamamlamak için anayurtlarından koparılan Afrikalılar; okyanusun üzerine bir utanç bulutu gibi yayılan kamçı sesleri, çığlıklar, ağıtlar; ayaklanmalar, köle direnişleri, cinayetler, savaşlar, korsanlar, sömürge cezaevleri (Şeytan ve Cüzzamlılar Adası!); Küba Devrimi; karabüyü ayinleri, voodoo ve obeah; Jamaika, samba, kalipso ve siyah isyanın müziği reggae. Kızıl ve kara insan, ilk kez bu topraklarda, beyaz insanın acımasız açgözlülüğüyle karşılaşmış ve savaşmıştı. Yüzlerce yıllık bir kin ve acıdan, özgün, melez ve çok zengin bir kültür doğmuştu. Kızılderililerin onurunu ve cesaretini, Afrikalıların yaşama bağlılığını ve direncini, Avrupalıların hırsını harmanlayan bir kültür. St. Croix, bu alanı birkaç yüz kilometrekareyi ancak bulan ada, tarihin ilk Kızılderili-Beyaz savaşının olduğu yerdi. Kolomb'un hepsi de birer vahşi yağmacı olan yorgun "fatihleri", "Yeni Dünya"ya ilk kez burada, Oklar Körfezi'nde ayak basmıştı. St. Croix'nın hemen yanındaki St. Thomas ise, adı bile bilinmeyen bir zenci Spartaküs'ün komutasında, onlarca yıl Avrupalı köle sahiplerine direnmişti. İsimlerini İncil'deki on bin şehit bakireden alan bu adaların her biri, unutulmuş, dahası hiçbir yazılı metne geçmemiş kahramanlıklar ve trajedilerle doluydu. (Çünkü buralarda yazılı tarih Beyaz Adam'ın tarihidir.) Atlanta'dan kalkan uçağa bindiğimde bunları düşünüyordum işte; ellerinde fizik kitapları bulunan, gözlüklü, sakallı, o çok yakından tanıdığım insanlar yanıma oturduğunda, fizikçi olduğuma ilişkin hiçbir ipucu vermedim. Cabrera Infante'nin Küba üzerine bir kitabını okumaya çalışıyordum, ama tropiklere, öykülerin geçtiği topraklara o anda gidiyor olmanın coşkusuyla içim kıpır kıpırdı. Porto Riko'dan aktarma yapan uçak, "normal" yolcularının çoğunu boşaltmış, hemen hemen tamamen fizikçilerle dolmuştu. Bu son gelen grupta hasır şapkalı, güneş gözlüklü Maya da vardı. Bir şaşkınlık çığlığıyla karşılamıştı beni; o doğruca Avrupa'dan gelmişti, bense bir haftadır New York'ta serserilik etmekteydim. Bilet numaralarına aldırmadan yanına geçtim.

"Cennete gidiyoruz, cennete," dedi coşkuyla, uçak tam inmek üzereyken.

"Evet, ama bu simüle edilmiş bir cennet," diye yanıtladım, somurtarak.

Yüksek Enerji Fiziği bilmeyenlerin tam anlamayacağı, "profesyonel" bir espriydi bu. Bizim işimizin çoğu simülasyondur, yani henüz gerçekleşmemiş, belki de hiç gerçekleşmeyecek deneylerin koşullarını bilgisayara yükleyip var olan (ya da olmayan) parçacıkların, bu koşullarda nasıl davranacaklarını saptamaya çalışırız.

"Ne olursa olsun, ben serseriliği sürdürmeye kararlıyım," diye ekledim.

Dediğimi de yaptım aslında; bu yapay cennette, gecikmiş bir kâşif ruhuyla, pek de ciddiye almadığım bir serseriliği simüle edeyim derken, gerçeğin en dibine yuvarlandım.

Yaz okulu için ayrılmış otel, ada merkezinin dışında, mercan kayalıklarıyla boydan boya kapalı, büyük bir körfezdeydi. Okyanusun açıklardaki, koyu lacivert, görkemli dalgaları, bu kayalara durmaksızın çarparak sakinleşiyor –belki de yalnızca sakinleşir gibi yapıyordu, ırmak yeşili bir renk alıp kıyıya yatışmış bir halde varıyordu. Keskin güneşin altında, göz, bu köpüklerin içinde, var olmayan yaratıkların, köpekbalıklarının dolaşmasını, yeni Afroditlerin doğuşunu seyrediyordu. Okyanusu ilk defa görüyordum, başka denizlere benzese de apayrıydı. Çözülmemiş nice sırlar, gizemler taşıyordu ve ben, okyanusu, ancak Kabuk Adam'ı tanıdıktan sonra kavrayabilecektim. Ufuk çizgisine dek uzanan, sınırsız, sonsuz bir renkler ülkesiydi karşımda duran. Karayipler'de küçük bir adada olmak, sonsuzluğun içinde, daracık sınırlara kapatılmak demekti, sonsuzlukta eriyip gitmek, onun bir parçası olmaktı. Haritada birbirine çok yakınmış gibi görünen adalar, gerçekte çok uzak ve yalıtılmışlardı, yapayalnızdılar. Metaforik anlamda değil yalnızca, adalar arasında, uçak dışında hiçbir bağlantı yoktu.

Kumsal, tipik bir tropik ada fotoğrafı için poz verircesine palmiyeler ve deniz kabukları ile kaplıydı. Gökyüzü parlak mavi ve hemen hep bulutluydu; bu bulutlar, ikide bir başlayan, kısa ama çok şiddetli tropikal yağmurları taşısalar da, güneşin amansız ışınlarını kesemiyorlardı. Sıcaklık cehennem gibiydi, dayanılmazdı, havadaki nem ve yüksek basınç onu daha da korkunçlaştırıyordu. Ağır, yapışkan, yağlı bir gazın içinde gibiydim. Hayatım boyunca farkında olmaksızın, kendiliğinden sürdürdüğüm soluk alma işlemi, burada zorlu bir çaba gerektiriyordu. Cıva soluyordum sanki. Denizden kıyıya doğru, hiç durmadan sürekli esen sıcak rüzgâr, insanı sersemletecek kadar güçlüydü, sanki yüzüme kova kova sıcak su atılıyormuş gibi. Zaten bu bölge, yaklaşık on yılda bir adaları yıkıntıya çeviren kasırgalarıyla ünlüydü. Okyanusun mucizevi gücünün bir başka göstergesiydi bu rüzgâr, sıcaklıktan daha inanılmaz, katlanılmaz bir şeydi; bir an bile dinmiyordu. Palmiyeler hızlı bir Afrika dansı yaparmışçasına, çılgın bir ritimde sallanıyor, gece gündüz, hiç susmadan, anlaşılmaz öyküler anlatıyorlardı. Otele varır varmaz kumsala koşan iki kişi vardı: Elbette Maya ve ben. Henüz bilmiyorduk ama iki hafta boyunca, kumsal yalnızca bizim olacaktı. Öteki fizikçilerin, yüzmekten daha önemli işleri vardı; fizik problemleri çözmek gibi. Deniz, hamam suyu kadar ılıktı ve tertemiz olmasına karşın bulanıktı, dipte kaynaşan balıkları, bitkileri, tropikal suların zenginliğini çıplak gözle seyretmek olanaksızdı. İkimiz de Akdenizliydik ve iyi yüzücüydük, güçlü okyanus dalgalarına karşın, sıkı bir tempo tutturmuş, açıklara, çok uzaklardaki kayalıklara doğru yüzmeye başlamıştık. Ansızın, çok şiddetli bir yağmurun iğne gibi keskin darbeleri suyu dövmeye başladı. Biz daha kıyıya varmadan kesilecek, havlulara sarındığımızda yeniden başlayacak, koşarak odalarımıza girmeden önce de ansızın bitiverecek bir tropikal yağmurdu bu; kararsız, ama tutkulu bir âşık gibi kur yapan bir yağmur.

Fizikçi grubuyla uyuşmazlığım, daha ikinci gece patlak veren bir olayla açığa çıktı. Bu okulu düzenleyen Prof. Karbel, altmış yaşlarında, zayıf, kel, gözlüklü; yani kısacası "tipik" bir bilim adamıydı. Güneşten ve hastalıktan ölesiye korkan bu pimpirikli adam, ideal bir "hipokondriya, paranoya ve kompulsif kişilik" örneğiydi. Fizikten başka hiç ama hiçbir şey düşünmez, konuşmazdı; yaz okuluna katılan herkese, hocalar da aralarında olmak üzere, izci disiplini uygulaması ile ünlüydü. Kendine çok dikkat etmesine karşın çelimsiz ve sağlıksız olan bu güneş düşmanı adamın, okulu için neden Karayipler'i seçtiğini bir türlü anlayamadım. Almanya'da, yaz-kış yağmurlu bir sanayi kenti ya da Norveç'te bir balıkçı kasabası onun ruhuna çok daha uygundu. Güneşten öyle nefret ederdi ki, denize -çok ender yüzerdi zaten- pantolon ve çorapla, hiç abartmıyorum, çorapla girerdi. Gömleğinin altında da, peynir beyazı cildini iyice güvenceye almak için sürülmüş, otuz koruma faktörlü güneş yağı olurdu. Seminerlerin sonunda ayağa fırlar, üzerine güneş resimleri çizdiği saydamları tepegöze koyardı. Tropiklerdeki güneşin bildiğimiz güneş olmadığı, öldürücü tehlikeleri bulunduğu üzerine on-on beş dakikalık bir söylev çekerdi, bu arada ben de bir an önce denize koşmak için sabırsızlanırdım. Ne yazık ki, bizi bekleyen tehlikeler güneşle sınırlı kalmaz, sıra saydamdaki öbür maddelere gelirdi.

A) Güneş, B) Kulaklar, C) Elmalar

B) Kulaklar'ın anlamı, denizden çıkar çıkmaz; tek ayağımız üzerinde -önce sağ, sonra sol- zıplayarak, kulaklarımızdaki suyu çıkarmamız gerektiği, yoksa bu tropikal iklimde, bin bir türlü tropikal bakterinin korkunç hastalıklara yol açabileceğiydi. Bu tavsiyeye Çinli öğrenciler dışında kimse kulak asmadı.

C) Elmalar ise bu yörede sıkça yetişen, maltaeriğini andıran elmaları yemememiz, bundan da öte, ne olduğunu bilmediğimiz hiçbir şeye, mercan, balık, meyve, çiçek ve ağaca asla dokunmamamız gerektiğini söylemek içindi.

Kurallara sıkı sıkıya bağlı, hep kabızmış izlenimi veren insanların, azıcık kuraldışı ve asi olanları tanımakta olağanüstü bir içgüdüleri vardır. Daha ilk seminerde, alt tarafı üç-beş dakika geç kaldığım için mimlemişti beni. Akşam yemeğinde ise, gündüzleri yakamıza takmak zorunda olduğumuz kimlik kartımı çıkartmama bozulup yemeğin ortasında beni odama yollamaya kalkışmıştı. Direttim ve gitmedim, unvanımı ilan eden şerefli tasmam olmadan yemeğimi bitirdim. Bunun öcünü almak, diğerlerine, bana da diş geçirebileceğini göstermek için fırsat kolladığını biliyordum, ama gene de gafil avlandım.

Adadaki ikinci akşam yemeğim henüz bitmişti. Günlerden pazardı ve ben toplam sekiz saatlik, dört ayrı fizik seminerine katılmıştım. Değil adayı gezmek ya da önceden, safça planladığım gibi diğer adalara gitmek, denize girecek vakti bile zar zor bulabilmiştim. Bir saatlik öğle tatilinde, upuzun bir yemek kuyruğu ve alelacele yutulan sandviçten sonra, şiş mideyle denize koşmuş, dimdik güneş ışınları altında dakikaları sayarak yüzmüştüm. Bir sonraki seminere yetiştiğimde, saçlarımdan hâlâ sular damlıyordu. En kötüsü, son iki gündür, sabah, öğle, akşam yemekleri, kahve molaları dahil, sürekli seksen kişilik bir grubun içindeydim. Birazcık yalnız kalmak ve okumak için bir köşeye sığındığımda hemen uyarılmıştım: Gruba ayrılan yerler dışında oturmak yasaktı. Karayip rüyam, böyle bir cehenneme dönüşmüştü işte; bu okulun tropiklerde ya da Sibirya'da yapılmasının hiç farkı yoktu. Duvarlarına, tropikal ada posterleri yapıştırılmış bir hücrede, insan karikatürleriyle bir arada yaşıyordum. Bir mahkûmdan tek farkım, buna gönüllü oluşumdu herhalde; bir de, "dört yıldızlı" otel odasının konforu, buranın bir hapishane olduğunu gizliyordu; hiç kullanmadığım Amerikan barı, televizyon ve bomboş kütüphane rafındaki İncil gibi şeylerle örneğin.

Toplu halde yemek yediğimiz uzun tahta masalardan birinin köşesine ilişmiş, derin bir can sıkıntısı içinde bir sigara yakmıştım. Masadaki tartışma pek az anladığım Standart Model Teorisi'nden, hiç anlamadığım Transizyon Radyasyonu Dedektörleri'ne döndüğünde, zayıf ve kırılgan ilgim dağılıp gitmişti. Bu adada, bu masada, dünyanın dört bir yanından gelmiş, hırslı, akıllı insanların arasında ne işim olduğunu düşünüyordum. Yabancılık duygum ve mutsuzluğum öylesine artmıştı ki kalkıp gidecek gücüm bile kalmamıştı. Kaldı ki, boğucu sıcaklıktaki, bomboş oda dışında sığınabilecek bir yerim de yoktu. Belki birileri konuyu değiştirir, fizik dışında herhangi bir şeyden söz açardı, belki de birilerini ada merkezine inmek için ikna edebilirdim. Ama sabahleyin erken kalkma zorunluluğu yüzünden kimse buna yanaşmıyordu.

Ansızın, adımı bağıran canhıraş bir çığlık bütün sesleri, birlikte yemek yiyen seksen kişinin uğultularını bastırdı: "Sana kaç kere söyledim!" Bizim ufak tefek, sinirli Prof. Karbel, yan masadan kalkmış, öfkeli, sıska bir maymun gibi üzerime geliyordu. "Sana kaç kere söyledim, burada sigara içmek yasak!" O kadar şaşırmıştım ki bir süre burun deliklerimden sızan dumanı izleyerek kıpırtısız kalakaldım. Böyle bir yasağı ilk kez duyuyordum, masanın yarısı sigara içiyordu, üstelik açık havadaydık. Bundan da öte, yirmi beş yaşındaydım ve sigara yüzünden son azarlanışım on yıl geride kalmıştı. Sigaradan umursamazca bir nefes daha çekip gözlerimi öteki tiryakilere çevirdim. Hepsi anlayamadığım bir boyun eğişle sigaralarını atmaya, gizlemeye çalışıyorlardı.

O anki umutsuzluğumu, o köle ruhlu insanlarla bir arada olmaktan duyduğum utancı anlatmak çok zor.

Tartışmak, yanıt vermek gereksizdi, açıkçası tenezzül etmedim. Bakışlarımı, Prof. Karbel'in vidalarından çıkmışçasına dönüp duran, bir türlü sabitlenemeyen gözlerinde odaklaştırdım, sigaramı, acı bir gülümsemeyle, plastik tabağa bastırdım. (Porselen tabak ya da kül tablası verilmemişti elbette.) Prof. Karbel, sigarayı sanki gözbebeğinin içinde söndürmüşüm gibi geri çekildi ve Maya'ya döndü: "Sen de Maya, sözüm senin için de!" Masadaki iki kadını seçmişti bağırmak için, bu bile davranışının cinsel kökenini açıklamaya yeterlidir sanırım. Maya da hiç karşılık vermedi, ama anadilinde, vatandaşı Andreas'a öfkeyle serzenişte bulunmaya başladı. Sıkılı bir yumruğu andıran ifademden dolayı, bana başka bir şey söylemeye çekinen Karbel, Maya'nın yanına oturdu ve hemen bir tartışma başlattı. Sigara alerjisi, sigara dumanının açık havada yayılışı, sigara içenlerin ve içmeyenlerin hakları vb. Beni hiç ilgilendirmeyen sözde demokratik bir oturum. Tek bir sözcük bile söylemeden odama gittim ve ağladım. Doyasıya, gözü dönmüş bir öfkeyle ağladım. Bu Karayip masalına kandığım, bedava uçak bileti ve otelle satın alınıp bir kuklaya çevrilmeyi kabul ettiğim için kendimden nefret ediyordum. O gece, fiziği ve her türlü akademik kariyeri bırakmaya karar verdim.

O akşam yemeği ile Kabuk Adam'ı tanımam arasında geçen bir hafta hemen hemen olaysız ve tekdüzeydi. Sabahları, kahvaltı saatinin bitimine beş dakika kala güçlükle kalkıyor, güneş yağımı sürüp -bunu hiç atlamamam gerekiyordu, yoksa sabah güneşi bile yüzümü şeftali rengine çevirirdi- "üniformamı" giyiyordum. Kimliğimi yitirmemek için üzerine iğnelediğim, en ince ve kapalı tişörtüm, eski püskü bermudalarım ve koca hasır şapkamdan oluşuyordu "üniforma": Ayağımda kumlu sabolarımla, ağır ağır lokantaya yürürken, rüzgâr biraz uyandırıyordu beni. Daha kuyruğa girip kahvaltımı almadan, uykusuzluk ve sıcaktan iştahım kaçmış olurdu. Bir sigara yakmak için herkesin gitmesini beklerdim. Hiç durmadan esen rüzgârın kâğıt bardağımı devirmesine güçlükle engel olurken, bir elimde sigara, önümde Lang'ın şizofreni üstüne bir kitabı, "ekspres" ve yasak bir sabah keyfi yapardım. Sonra geç kaldığım ilk derse koşturur, kahvaltıdaki yağlı jambon ve ananastan midem ekşimiş bir halde, sıkıntılı ders boyunca, bize bedavaya verilmiş, sarı üstüne mavi çizgili deftere, şizofrenik bir öykü üzerine notlar alırdım. Sonradan gördüm ki yazdıklarımda sürekli güneş imgesini kullanmışım. Kurak, ıssız çöller ve acımasız bir göz gibi her şeyi gören, yargılayan güneş.

İki ders arasındaki kahve molasında, kalabalıktan ve fizik tartışmalarından uzak durma çabalarım genellikle sonuçsuz kalır, biri yanıma gelir, hangi deneyde çalıştığımı ya da seminer üzerine ne düşündüğümü sorardı. Bazen de çimenin neden betondan daha soğuk olduğu, ya da tropiklerde güneşin neden daha çabuk battığı konusunda yapılan sözde-bilimsel, aptalca bir konuşmanın ortasında kalakalırdım. Serin çimenlerden de, tropiklerin o kendine özgü, gökyüzünü yangına çeviren günbatımlarından da zevk alamaz olurdum. Sanırım gördüğüm ilginin en önemli nedeni, kadın fizikçi sayısının azlığıydı; sayımız onu geçmiyordu ve kocası, erkek arkadaşı olmayan ya da burada bir tatil aşkı bulmayan iki-üç kişiden biriydim. Bir de bunlara, Türk gibi "egzotik" bir köken ve sürekli yalnız kalmaya çalışmamın yarattığı gizem de eklenirse.

İkinci ders, ilkinden daha ağır, daha yorucu geçerdi. Saat öğleye yaklaşınca, astımlı ciğerlerim nefes almakta zorlanırdı. Terden bermudalarım bacaklarıma yapışır, yerimden kıpırdamadan oturmak ve zeki bakışlarla semineri izlemek zorunluluğu bir işkenceye dönüşürdü. Bir sigara yakabilseydim, bir bardak soğuk meyve kokteyli olsaydı; suya bile razıydım aslında, şu cam fanusa benzeyen konferans salonundan sıvışıp, hemen yanındaki bomboş havuza atlayabilseydim. Çok basit, temel, bedensel istekler. Yemek kuyruğu, sandviç ve kola; artık ilk günlerdeki gibi, her fırsatta denize koşacak gücüm kalmadığından, kitap okuyarak geçen bir yarım saat. Öğle zamanı dünya, sanki sıcaktan beyazımsı bir renk alırdı, hava kurşun gibi ağırlaşırdı. Sıcaklık, baş ağrısı, ter, sıcaklık. Öğleden sonra seminerleri, akşamüstü seminerleri, daha fazla sıkıntı, bıkkınlık, yorgunluk. Akşam yemeğinden sonra da, ek bir seminer ya da tartışma seansı, pek ender olarak da bir kokteyl düzenlenirdi. Bir gece "uluslararası" bir şarap partisinde, bir ondan, bir bundan derken, neredeyse, otuz şişe İtalyan ve İspanyol şarabının tadına bakmıştım. Toplam neredeyse iki şişe şarap. Sonra da her önüme gelene, öykülerimden ve hayalkırıklıklarımdan söz etmeye başlamıştım. Tropiklerde içilen içki insanı bir anda çarpıyordu, en sıkılganlar cüretkâr, içine kapanıklar ateşli, mızmızlar ise aslan yürekli kesiliveriyordu. Kendimi her türlü çılgınlığa hazır hissetmiş, dans etmek, sevişmek ya da olay çıkarmak için dayanılmaz bir istek duymuştum. Bu iklimde, alkolün etkisi geldiği kadar çabucak gittiğinden Maya ve ben, bütün bir gün rahatça içebildiğimizi fark etmiştik. Öğle yemeğinde başlayıp yatana dek, kimseye sezdirmeden, buzlu rom kokteyllerini deviriyorduk. Zaten başka türlü ne gündüzlere dayanabilir, ne de geceleri uyuyabilirdim.

Günün tek sevdiğim saati, öğle üç ve dört arasındaki, Prof. Karbel'in eşsiz cömertliğiyle bize bıraktığı boş saatti. Grup, hiç anlayamadığım bir nedenle, ortasına sis bombası atılmış miting topluluğu gibi ansızın dağılırdı. Kumsal birkaç gürültücü İtalyan dışında, Maya ve bana kalırdı. (Prof. Karbel bunu hemen gözlemlemiş, Akdenizlilerin deniz tutkusunu anlayamadığını belirtmişti. Ben de kulağına gideceğini bildiğim halde, "O hangi tutkudan anlar ki?" demiştim.) Denizden çıktıktan sonra, palmiyelerin altında bir banka uzanırdım, yanımda sigara paketi, romlu kokteyl ve Thomas Bernhard'ın bir romanı olurdu. İklim koşullarına çok daha uygun bir seçim yapan Maya, Anaïs Nin'in erotik bir romanını okuyordu. Aslında ikimiz de doğru dürüst okuyamazdık. Aralıksız esen rüzgâr, sayfaları birbirine karıştırır, saçlarımı gözüme sokar, bazen de kitabı elimden uçururdu. Sonsuz bir rehavet ve huzur içinde, başı sonu olmayan düşüncelere, gökkuşağı renkli imgelere kaptırırdım kendimi. Okyanus hiç bitmeyen bir sevecenlikle kumları okşar; dalgalar, rüzgârın hindistancevizi ağaçlarıyla yaptığı, tropikal füg'e eşlik ederdi. İnsanı iliklerine dek ıslatan ama hiç üşütmeyen yağmurlar bir başlayıp bir kesilirdi. Keskin güneş ışınları, palmiyelerin arasından yüzüme altın damlalarla akarken, mercanların köpüklü çizgisinde, çılgınca hayaller görürdüm. Gölgelerin bulunmadığı ama hiçbir şeyin net, açık seçik olmadığı bir dünyaydı bu. Soyut kavramlara, kesinliğe, kuzey iklimlerinin çözümleyici düşüncesine yer olamazdı burada; insanı keskinleşmiş ve arınmış duyumları yönlendiriyor, gerçekliğe alışılmadık, dolambaçsız, bambaşka bir yol çiziliyordu. Duyumsayarak yaşamak. Kemiklerini eritircesine ısıtan güneşi, yağmurun küçük, serin parmaklarını, bedenimi sıcak bir dil gibi yalayan rüzgârı hissetmek. Rengi hiç solmayan gökyüzü altında, bedenini keşfetmek, onunla var olmayı öğrenmek; tropikal yaşamın sakin, capcanlı, çok renkli ritmini yudumlamak. İşte, sadece o anlarda, okyanusun ortasında bir adada olduğumu duyumsuyordum. Güçlü bir akıntı, beni zamanın dışına atar, bir deniz kabuğu gibi bu kumsala bırakırdı. Hani şu kulağınızı dayadığınızda, size okyanusun sonsuz şarkısını söyleyen deniz kabuğu gibi.

O hafta boyunca, bir bakıma sonraki olayların habercisi niteliğinde, kayda değer bazı şeyler de oldu. Cuma akşamı, Maya ve ben, yanımıza iki İngiliz'i, Martin ve Michael'ı alıp adanın merkezi olan kasabaya, Christianstedt'e indik. Çocukların ikisi de, ikimize birden kur yaptıkları için kabul etmişlerdi bu gezintiyi, hangimizi seçeceklerine karar vermemiş, ya da seçimi bize bırakmış gibi davranıyorlardı.

Denizden biraz içeri girince rüzgâr kesilmiş, sıcaklık daha da dayanılmaz olmuştu. Daracık, parke döşeli sokaklar erimişçesine, uzadıkça uzuyor, göz kamaştırıcı sarı ışıkta hiçbir şey net olarak seçilmiyordu. Sıcak bir kehribar kolyenin içindeydik sanki. Arada bir, beyaz kolonyel yapıların verandalarına kurulmuş, havalandırmalı dükkânlara sığınıyor, biraz soluk almaya çalışıyordum. Haiti resimlerinden İsviçre çakılarına, deniz kabuğu kolyelerden lüks altın saatlere dek her şey satılıyordu bu dükkânlarda, ama kartpostal dışındakilere param yetmiyordu. Zengin beyazların, zengin beyaz turistler için işlettiği dükkânlar, barlar ve lokantalardan geçilmiyordu Christianstedt. Onları kölelik zamanından kalma bir kinle izleyen yerli siyahi halka rastlamak hemen hemen olanaksızdı. Bu durumun, güneş batınca tam tersine döndüğünü kısa zamanda öğrenecektim. Turistler dört yıldızlı otellerine çekilirken, sokaklar ve kulüpler, dansı ve müziği tutkuyla seven yerlilere kalıyordu ve doğal olarak silahlı çetelere, çocuk yaştaki kokain satıcılarına. Son yıllarda Karayipler, Amerika'ya giden kokain yolunda önemli bir konum edinmişti. Önceleri, adaların doğal bitkisi marihuanayı içip dans eden ve sevişen bu sıcakkanlı insanlar, kokainle birlikte gözü kör bir şiddetle de içli dışlı olmuşlardı.

Afrika işi oyma kolyeler ve Malcolm X tişörtleri satan bir siyahiyle iletişim çabalarım, yüzyıllardır süren ırklararası düşmanlığın duvarında parçalandı.

"Malcolm X kim, biliyor musun?"

"Evet," dedim gururla, "ama düşüncelerini pek bilmiyorum."

"Nereden bileceksin ki? Hadi beyaz kız, beni oyalayıp durma, cebinden şu yeşil dolarları çıkar da ne alacaksan al. Egzotik nesnelerle ilgileniyorsan, kolyelerime bak, bana değil. Niyetin ülkene döndüğünde arkadaşlarına hava atmak. Bana gelince, ne sempatini, ne de dostluğunu istiyorum."

Bunların hiçbirini söylemedi aslında ama gözlerinde aynen bunlar yazılıydı. Vazgeçtim. Müslüman bir ülkeden geldiğimi bile söylemedim.

Tarihi, adanın tarihi kadar karmaşık ve kanlı olan, sırayla İspanyol, Fransız, İngiliz ve Danimarkalıların eline geçmiş küçük kaleden başka görülecek bir şey yoktu Christianstedt'te. Maya upuzun, çıplak gövdeli hindistancevizi ağaçlarına, maymun çevikliğiyle tırmanan bir yerlinin fotoğrafını çekti. (Tüylerimi diken diken eden "turist" sözcüğünü çağrıştırdığından, yolculuklarımda hiç fotoğraf makinesi taşımam.) Ben de, sırf o baş edilmez can sıkıntımdan dolayı, bir gösteri sergilemek gereksinimi duydum ve kale burçlarına tırmandım.

Aynı gece, en azından yirmi beş kişilik, kalabalık bir topluluk halinde, tekrar kasabaya indik. Prof. Karbel, kesinlikle birbirimizden ayrılmamamız, karanlık bastıktan sonra sokaklarda yürümememiz, bizi kasabaya getiren minibüs-taksiye dönüş saatini bildirmemiz konusunda sıkı sıkı uyarmıştı bizi. Denizin üzerindeki bir sete kurulmuş, küçük tahta sıraları olan bir barda, romlu ve tekilalı kokteyllerle iyice kafayı bulup bir gece kulübüne gittik. Kalabaş'a. Adı kadar gizemli, çılgın "Kalabaş gecelerinin" habercisiydi o gece. Coşkulu Karayip ritimleriyle dans eden, bedenleri birbirine sımsıkı yapışmış siyahi çiftler, ritmi hiç kaçırmadan, inanılmaz bir hız ve ustalıkla sallanan kalçalar, terli bedenlerin yaydığı cinsellik; büyülü bir ortam. Maya ve ben, epeyce sarhoş bir halde piste çıktık ve beceriksizce tepinen, ritim duygusundan yoksun Anglosakson ve Alman fizikçilere Akdenizliliğimizi gösterdik. Göbek dansı ve samba arası birkaç figür bulup bedenlerimizi cömertçe müziğe bırakıverdik. İnce, uzun bir siyahiyle dans etmiştim; tam ayrılırken hiç ummadığım bir yakınlıkla elimi sıkmış ve teşekkür etmişti. Elbette o anda, ne o, ne de ben, onun bu öyküde alacağı rolün boyutlarından haberliydik.

Hemen herkes o geceden bir "Karayip anısı" edinerek döndü, kumsal toplantılarında anlatacak malzeme çıkmıştı fizikçilere. Aşırı içip grubu kaybeden Sten, yanlışlıkla girdiği İspanyol mahallesinden ve orada kendisine satılmaya çalışılan dokuz yaşındaki kızdan söz edip durdu. Bazıları duydukları silah seslerini, bazıları da kendilerine bıçak çeken çeteden nasıl kaçtıklarını, her gece, tekrar tekrar anlattılar, daha yıllarca da anlatacaklar.

Ertesi gün, iskân edilmemiş, doğal bir sualtı müzesi olarak korunan, "Buck" adındaki bir mercanadasına yat gezisi düzenlenmişti. Mercanları seyredebilmek için şnorkelle dalmayı bilmek gerekiyordu. Daha önce hiç dalmadığım ve astımlı olduğum için, yatın Amerikalı kaptanı, gözlerini göğüslerimden ayırmadan, benimle "özel olarak" ilgilenmeyi önerdi; ama ben acemiler grubuna katılmayı seçtim. Suyun altında geçen o sonsuz, ıstırap dolu dakikalardan tek aklımda kalan, korkunç bir boğulma hissi ve panik; herkesin "çok etkileyici" bulduğu mercanlara bir kez bile dönüp bakamadım. Daha sonra, Prof. Karbel'in olağan temposunda, koşar adım bir piknik yapıldı. O ünlü zehirli elma ağaçlarının altında upuzun yemek kuyruklarına girdik ve mercanadasının, belki de kırk beş dereceyi bulan cehennemi sıcağında, gölgelik bir yer bulma kavgası vere vere, Karayip usulü yemek yedik. Hamburger ve romlu kokteyl! Sonlara doğru bu sıkıcı gezinti, karşıma hiç umulmadık, son derece incelmiş, enfes bir zevk ânı çıkarıverdi. Uzun kollu gömleği, bol paçalı pantolonu ve şnorkeliyle suyun altında, garip bir tür zarganayı andıran Prof. Karbel, az daha bir katamaranın altında kalacaktı ve bu yüzden kaptan tarafından azarlandı.

Kimseye belli etmeden, kaptana, onu tekrar paylamasını rica ettim, o da tabii beni kırmadı. Sesi bütün teknelerden duyulacak şekilde, yaşlı profesöre bağırıp durdu.

Otele dönerken, bizim dalış grubunun rehberi, genç siyahi çocuk yanıma oturmuştu.

"Merhaba. Ben Marcos."

"Merhaba."

"Hiç spor yapıyor musun?" Afalladım.

"Efendim? Yo, hayır. Spor yapmıyorum. Neden?" Spordan da, sporculardan da oldum olası hoşlanmazdım.

"Olağanüstü bir vücudun var. Daldığımız zaman gözümü senden alamadım."

O kadar şaşırmıştım ki herhalde sendelemişimdir. Hayatımda ilk kez, yeni tanıştığım biri, böyle damdan düşercesine vücudumu övüyordu. Dalış esnasında, bir yunus gibi kıvrak hareketlerle, sürekli dalıp çıkmasının, yanımdan, altımdan sayısız geçişinin nedeni buydu demek ki. Bense kaptanın talimatına uyarak, astımım yüzünden bana göz kulak olduğunu sanmıştım.

"Öyle ustaca seyrediyordum ki anlamadın. Bugün, öğleden sonra reggae festivali var. Gelmek ister misin?"

Yaklaşımındaki dolambaçsızlık ve içtenlik öylesine hoşuma gitmişti ki hemen kabul ettim. Çok uzun zamandır unuttuğum bir şeyi, kadın olduğumu, üstelik arzulanan bir kadın olduğumu hatırlatmıştı bana. Derin duyguların ve anlamların peşinde yitip gitmiş birinin gözardı ettiği, küçük ama sağaltıcı mutluluklardan biriydi işte.

Gene de konsere, peşime taktığım ufak bir fizikçi grubuyla gittim. Marcos'la sohbet edip ikram ettiği marihuanalı sigaradan birkaç nefes çekmekten öteye geçmedim. Adalılar gibi, yani kalçalarımız birbirine yapışık halde dans etme önerisini de reddettim. Kızgın bakışlı binlerce yerlinin arasında tek turist bizdik ve sonuçta, gruptaki öbür kızın, Avusturyalı Sigrid'in taşkın danslarına ve sigara dumanım yüzünden bana bağıran adalı bir kadına rağmen (siyahi arkadaşlarımla marihuana içtiğimi görünce itirazları kesilivermişti), o konserden linç edilmeksizin, sapasağlam çıkmayı Marcos'a borçluyuz. Kayda değer son olay ise, Kabuk Adam ile tanışmamdan bir gün önce Michael'ın, sırf biraz içkili ve hüzünlü olduğum için, İngilizlere özgü bir duygu yoksunluğu ile beni yatağına davet edişiydi. Resmi kız arkadaşı, ertesi gün adaya varacak ve bu sevimli, "birbirine çok yakışan" çift, Karayipler turuna çıkacaktı. Ben de kabalıkta ondan aşağı kalmadım, az sonra geleceğimi söyleyerek ortalardan yok oldum. Bu olaydan ikimiz de hiç söz açmadık, bu küçük, kirli sır, St. Croix'nın kumsallarına gömülü kaldı.

Bir de, o öğleden sonra, upuzun, bir çocuk tekerlemesi gibi bitmek bilmeyen bir seminerde, başıma gelecekleri sezmişim gibi şunları not düşmüşüm defterime: "Bir balona şekil veren hava gibi, benim de hayatıma şekil verecek bir şeye gereksinimim var. Şu anda bunun ne olabileceğini bile bilmiyorum, belki ancak sevgi diye tanımlanacak bir şey."

Çok iyi anımsıyorum, havuzda çocuğuna yüzme öğreten genç bir anneyi seyrediyordum.

"Tanrı, Adem'in burnuna üfleyerek can vermişti." İşte, Kabuk Adam ile tanışmamdan önceki on gün böylece geçmiş ve o, hayatımı bir kasırga gibi altüst eden akşam geldiğinde, adada geçirecek sadece dört günüm kalmıştı.

Sıcak, yoğun, yorucu bir gün daha bitiyordu. Upuzun, kurak bir mevsimin sonuna kadar dayanmış bir bitki gibiydim. Yarısını kaçırdığım bir tartışma seansına doğru, kendimi zorla sürüklüyordum; bedenim güneşten ve uykusuzluktan tükenmişti, sabolarım demirden yapılmışçasına ağırdı. Geceye çok az kalmasına karşın, sıcaklık hiç azalmamıştı. Artık her soluk alışımda, suyun altındaki boğulma duygusunu yeniden yaşıyordum. Bu adadan, hiç azalmayan sıcaklık ve hiç dinmeyen rüzgârdan, boğucu nemden, ikinci bir deri gibi taşıdığım ter ve güneş losyonu karışımı vıcık vıcık sıvıdan, omuzlarım ve boynumdaki güneş yanıkları ve alerjik yaralardan, kumlu sabolardan öylesine bıkmıştım ki. Hepsinden çok, bitmek bilmeyen, makineli tüfek mermileri gibi art arda gelen seminerlerden; küçük, bomboş bir otelin kumsalına hapsolmaktan ve bir toplama kampı mahkûmu gibi yaşamımın hep öteki fizikçilerinkine yapışmasından, birlikte yenen yemeklerden, toplu gezintiler, saçma sapan konuşmalarla geçen kahve molaları ve partilerden. O günlerde iklimin de etkisiyle düşünmeyi, daha doğrusu bir düşünceyi sonuna kadar götürmeyi ve çıkarımlar yapmayı bırakmıştım; yoksa durumuma katlanamazdım. Hapishane, savaş gibi deneyimlerden geçenlerin iyi bildiği bir savunmadır bu, gerçeği bütünüyle kavramaktan, gelecekten isteklerde bulunmaktan vazgeçmek, yalnızca bir sonraki saati hedefleyerek yaşamak. Tropikal iklim de, bu tür bir gerçeklikten geriye çekilme, kendini rölantiye alma işlemi için çok uygundu; eşi bulunmaz bir umursamazlık ve aldırışsızlık kazandırmıştı bana; hamağında siesta yapan Meksikalı bir çoban rehaveti içindeydim. Geç kaldığım, gündelik tartışma seansı yerine kendi ameliyatım bile olsaydı, telaşa kapılacak halim yoktu.

Ansızın gördüm onu, havuza giden dar, beton yolda, palmiyelerin gölgesinde karşılaştık. Elinde iki büyük deniz kabuğu taşıyan, kısa boylu, zayıf, çıplak ayaklı bir yerli, gözlerini hiç ayırmadan bana bakıyordu. Bu dimdik cüretkâr bakışı, beni onunla konuşmaya itti sanırım, daha en başından, açıklanamaz bir egemenliği vardı üzerimde.

"İyi akşamlar. Bunları satıyor musun?"

Aptalca bir giriş yapmıştım; elbette satıyordu, başka bir nedenle otelde bulunamazdı. Almaya niyetim olmadığı halde, büyük bir dikkatle kabukları inceliyordum. Bu arada, Jamaikalı olduğunu, dalgıçlık yaparak ve çıkardığı deniz kabuklarını satarak geçimini sağladığını anlatıyordu. Adını sordum.

"Tony. Bana Kabuk Adam Tony derler, ya da Tony, Kabuk Adam."

Beklenmedik ya da sarsıcı bir şey söylememişti... Apayrı, benden çok farklı bir dünyası olan biriydi işte, içimdeki merak kurdu bile doğru dürüst uyanmamıştı. Belki de deniz ve deniz insanları, o güne dek hiç ilgimi çekmediğindendi bu. Yalnızca bakışları, gözlerimden hiç ayrılmayan, keskin, duru, olağanüstü bakışları, beni oraya mıhlıyordu. İri, kapkara, bir yaban kedisini andıran gözleri vardı. Başındaki üç renkli bere, teninin koyukahve rengini vurguluyordu. Sol kulağındaki altın halka ile geçen yüzyıldan kalma, Karayip denizlerinin çelikleştirdiği, gözüpek ve acımasız bir korsana benziyordu. Göğsündeki derin yara izlerini ve iki küçük, narin deniz kabuğu kolyeyi fark ettim.

Benliğimin bir parçası haline gelmiş can sıkıntısı ve rehavet içinde yoluma devam edecektim ki birden o cümleyi söyledi. Her şeyi başlatan cümleyi.

"Sen, hayatım boyunca benimle konuşan ilk beyaz kadınsın. Deniz kabuğu filan alırken konuşurlar elbette ama hiç benimle ilgili soru sormazlar."

İçimde bir şeyler kıpırdandı, yüreğimdeki ağır bir taş yerinden oynamış, yuvarlanmaya başlamıştı. Üzüntüyle ona döndüm, bakışlarım onunkileri ilk kez aynı yoğunlukta karşıladı. Aramızda, sözcüklerin olmadığı, sessiz, derin bir konuşma geçiyordu.

"Yıllar var ki hiçbir kadınla beraber olmadım."

Gözlerimi aniden kaçırdım. Gergin, ağır, ılık bir sessizlik başladı. Rüzgârın darmadağın ettiği saçlarımı düzeltmeye uğraşıyordum. Acı doluydu söylediği; içtenlikle, hiçbir kızgınlık, yalvarma ya da ima içermeden, dolambaçsızca dile getirilen, eski bir acı. Ne söyleyeceğimi bilmiyordum. İçimdeki taşlar hızla yuvarlanıyorlardı, duygularımın bir kaynaktan fışkırırcasına boşalmalarından korktum. Ben de, diyecektim neredeyse, ben de uzun zamandır hiç kimseyle olmadım. Olamadım. Kendimi toparladım; bir kadının, yabancı bir erkeğe, kendi cinselliğinden söz etmesinin tehlikelerini biliyordum ne de olsa. Öylece kıpırdamadan duruyor, sessiz, çaresiz bakışlarla okyanusu seyrediyordum. Rüzgâr saçlarımı yeniden dağıtmıştı.

"Tabii," diye devam etti, "ben senin gibi güzel değilim."

Gerçekten de çirkindi, boyu aşırı kısaydı -benden bile kısa- ve kaburga kemikleri meydana çıkacak denli zayıftı. Yüzü inanılmaz derecede çirkin, çirkinden de öte, korkunçtu. Kırık dişlerle dolu, ürkütücü bir yarayı andıran ağzıydı bunun nedeni ve çenesindeki anlayamadığım tuhaflık. Sıyrıklarla, açık yaralarla dolu ellerini, paçavralar içindeki cılız bedenini, hiçbir kadın kolay kolay çekici bulamazdı.

"Belki de," dedim bu kez, tam gözbebeklerine bakarak, "kadınları korkutuyorsundur."

Şaşıracağını sanmıştım ama tepki göstermedi. Sadece yüzünden belli belirsiz, yorumlayamadığım bir bulut geçti. Ondan korktuğumu ve bu korkunun ilişkimizi nasıl belirleyeceğini, o anda, benden çok daha önce sezdiğini biliyorum şimdi.

"Ama," dedi birdenbire, "bir kitabın kapağına bakarak içindekileri anlayamazsın."

Koltuğumun altındaki romanı gözucuyla süzmüştü:

"Doğru, haklısın."

Giderek ilgim artıyordu. Hem bilgece bir yönü vardı, hem de şeytanca; ikisi de aynı ölçüde çekiyordu beni. Konuşmayı olabildiğince uzatmak, onu, kendisini anlatmaya ikna etmek, bu gizemli Kabuk Adam'ı çözecek ipuçlarını ele geçirmek istiyordum. Güçlü bir önseziyle biliyordum ki, Kabuk Adam'ın bana öğretebileceği, o zamana değin ıskaladığım çok önemli bir şey vardı; yaşama dair, belki ölüme. Belki de dünyayı, benim için daha tanıdık ve duyarlı kılacak bir gizi biliyordu. Kafam durmuştu oysa; akıllıca, aptalca, söylenecek hiçbir şey bulamıyordum. Konuşan gene o oldu.

"Bir insanı da sadece yüzüne bakarak anlayamadığın gibi."

O anda dehşetle kavramıştım ki, Tony düşüncelerimi okuyabiliyordu, hatta bundan daha öteye geçerek, henüz düşünce haline gelmemiş, bilinçdışının daracık boğazında sıkışıp kalmış kıpırdanmaları, belli belirsiz duygu dalgalanmalarını seziyordu. Üzerimdeki etkisi giderek artacak, delice bakışları, ruhumun en diplerine ulaşacaktı. Okyanusun derinliklerinden çıkardığı deniz kabukları gibi, en gizli korkularımı, arzularımı su yüzüne çıkaracaktı. Bundan böyle, onun karşısında, hep çıplak ve savunmasız olacaktım.

"Sen çok güzelsin. Gerçekten de çok güzelsin. Umarım kendine iyi bakıyorsundur."

Marcos'un iltifatları karşısındaki gibi şaşırmamıştım, neşelenmemiştim de. Övgülere alıştığımdan değildi bu, Tony öylesine yoğun bir hüzünle konuşmuştu ki. Hemen itiraz ettim, gülünç bir çabayla, çirkinliğimi kanıtlamaya çalıştım.

"Yoo, hayır. Güzel sayılmam. Son yıllarda çöktüm. Çok da bakımsızım. İçki içiyorum, sigara..."

Elimdeki paketi gösterdim. Birdenbire kafam aydınlanıverdi, ona ulaşacak bir yol bulmuştum.

"Marihuana da içiyorum."

Yalan söylüyordum. Marihuanayı ilk kez Marcos'la denemiştim; Karayiplilerin hemen tamamının bu otu içtiğini biliyordum. Yüzünden gene belli belirsiz, tehlikeli, kara bir bulut geçti. Bu kez doğru anlamıştım. Yasadışı, karanlık bir geçmişin izini taşıyordu Tony. İnsan bir kere yasadışı işlere bulaştı mı, kokusunu hep üstünde taşır, doğrusu ben de bu kokuyu iyi tanırım.

"Demek marihuana içiyorsun. İstersen sana getirebilirim."

"Satıyor musun?"

"Satmıyorum, kendim için yetiştiriyorum, sana rahatça verebileceğim kadar var elimde."

Kabul ettim, ertesi gün getirmesi üzerine anlaştık. Odama doğru yavaşça yürümeye başlamıştık, tartışma seansına çok geç kalmıştım, konuşmamız da doğal sonucuna ulaşmış gibiydi. Bir bakıma Tony tuzağıma düşmüştü, kendisiyle sırf marihuana yüzünden ilgilendiğimi sanıyordu ve aslında böylesi çok daha güvenliydi.

"Kolyemi görmedin."

Biri kırmızı, öteki beyaz sicimlere geçirilmiş, birbirinin eşi, iki deniz kabuğunu gösteriyordu.

"Gördüm. Çok güzel."

"Bunlar çok ender bulunur. Ben çıkardım."

Uzun, yaralı parmaklarıyla usulcacık okşadı kabukları, gözleri gurur ve şefkat doluydu. Odamın önündeydik.

"Tamam, yarın getiririm. Burada olacaksın, değil mi?"

Ansızın korkuya kapıldım. Kurallarını bile bilmediğim, çok tehlikeli bir oyuna katılıyordum sanki. Bütün bunlar çok anlamsızdı ya da ulaşamayacağım kadar derin bir anlam içeriyordu.

"Bak, niye bunu illa ki vermek istiyorsun, anlamıyorum. Birisi bana bir şey vermek istediğinde kuşkuya kapılırım."

Biraz bıkkınlık, biraz acımayla süzdü beni, söylediğime pişman olmuştum. Zekâmı kanıtlamak için söylediğim nice laf gibi gereksiz ve boştu, ruhun kendisinden gelmediği için de yapaydı.

"İnsanlara hiç güvenmiyorsun, değil mi? Sana bunu vermek istiyorum çünkü arkadaşlarıma verebileceğim kadar var bende. Bana, satıp satmadığımı sormuştun?"

Bir çocukla konuşur gibiydi.

"Evet."

"Sana sattığımı söyleyebilirdim, değil mi? O zaman benden satın alacaktın."

Sesimi çıkarmıyordum, haklıydı.

"Satın alacak kadar güveniyorsun ama hediye alacak kadar değil."

Artık hiçbir şey söyleyecek durumda değildim.

"Bunu sana veriyorum çünkü benimle konuştun. Daha önce de söylemiştim, uzun zamandır hiçbir kadınla konuşmadım."

Aynı akşam, otelde tenis dersleri veren İngiliz asıllı James ve gruptaki fizikçilerden Hintli Khrish, beni yemeğe davet ettiler. Oldukça ciddi bir bunalım geçirmiş olan kuramsal fizikçi Khrish, üniversite tarafından buraya "rehabilitasyon" amacıyla gönderilmişti. Kendisini toparlaması için iki hafta süre vermişlerdi. O da, sürekli yalnız kalmayı seçtiği, seminerler de dahil, grupla yapılan hiçbir eyleme katılmadığı için tanışmıştık. Derslere girmediğim bir öğleden sonra, koyun ucundaki "Proje"nin girişinde, tahta iskelede karşılaşmıştık. Bu "Proje," devletin düşük gelir grubundaki insanları barındırmak için yaptırdığı kalitesiz, ucuz evler, evden çok barınaklardı aslında. Orada, dört yıldızlı otellerden sadece iki yüz metre ötedeki bu gettoda, dünyanın bütün gettolarındaki kurallar egemendi; açlığın, yalıtılmanın, umutsuzluğun, şiddetin kuralları. Ne gece, ne gündüz, hiçbir zaman, kesinlikle Proje'ye gitmemek konusunda defalarca uyarılmıştık. Bu uyarıları kulak arkası etmeye cesaret edemezdim ama iskele bir mıknatıs gibi beni hep kendine çekiyordu. Okyanusa yardım bekleyen bir el gibi uzanmış ıssız iskele, bana yalnızlığımı en iyi duyumsatan yerdi; oradaki rüzgârın şiddeti, korkunç tutkuları, ölümcül aşkları çağrıştırıyordu.

James, Londralı bir siyahiydi. Derisinin rengine karşın, yerli halktan en az beyaz turistler kadar kopuktu. Adada geçirdiği iki yıl boyunca doğru dürüst bir kız arkadaş edinememiş olmak, onda komik bir karamsarlığa yol açmıştı. Yol boyunca, daha önceleri tenis hocalığı yaptığı Fransız Riviera'sını, tanıdığı süper zenginleri, paranın oluk oluk aktığı yaşamları anlatıp durdu. Hayatı boyunca paradan başka bir şeyi yüceltmemiş, bir yere, insana ya da ideale bağlanmamış kayıp ruhlardan biriydi. Khrish ise bir bakıma onun tam zıddıydı, hayattan kopukluğu, içe dönüklüğü ve duygusal yönden gerçek bir çocuk oluşuyla, tipik bir bilim adamıydı. Mesleki konularda zeki ve yetenekli ama insan ilişkilerinde beceriksiz ve sarsaktı. Geçirdiği bunalımın izlerini, sessizliği ve durgunluğundan çok, ansızın patlattığı yersiz kahkahalarında ve öfke nöbetlerinde seçebiliyordum.

James, adanın doğu ucunda, St. Croix ölçülerine göre dağ sayılabilecek küçük bir tepenin üzerine kurulmuş, son derece lüks ve pahalı bir lokanta seçmişti. Garsonlar da dahil, içerideki herkesin beyaz derili olup Amerikanca konuştuğu, Tony'nin aylık geliriyle ancak bir aperatif alabileceği türden bir yerdi. İngiliz kolonilerindeki kulüpler gibi işte. Böyle yerlerden, kapıya bir giyotin kurup, yediklerinden çok, yemeğe ödedikleri paradan tatmin olmuş, şımarık kelleleri kesmeyi düşleyecek denli nefret ederim. Gene de otelin dışına çıkabildiğim ve uzun tahta masalardan, plastik tabaklardan kurtulabildiğim için memnundum. Ansızın başlamış olan ve bir türlü kesilmeyen şiddetli yağmur da geceye az çok bir şiirsellik katmıştı. Şimdiye dek gördüğüm yağmurların en korkuncu, en görkemlisiydi. Gökyüzü, sanki yüzyıllarca birikmiş bir kini kusuyor, ölesiye boşaltıyordu yükünü; biz zavallı insanlara bir uyarıda bulunmak istercesine. Masalar çabucak içeri çekilmiş, panjurlar kapanmıştı. Mahsur kalmıştık.

"Yemeği ben ısmarlıyorum, rahatça yiyebilirsin," demişti Khrish, listeye bir göz atıp sadece salata ısmarladığımı görünce.

"Ben yarın ona bedava bir tenis dersi vereceğim. Sen de ödemenin başka bir yolunu bulursun artık."

Yüzüm öyle bir hal almış olmalı ki, hemen ekledi.

"Yani, öykülerinden birini verirsin."

Bir boşboğazlık anında Khrish'e yazarlık denemelerimden söz etmiştim. Bıçak gibi sessizliği kırmak istercesine devam etti James.

"Sende zaten tam bir yazar tipi var. Nasıl söylesem, işkence görmüş bir yazar."

James'in sınırlı dünyasında var olmadığını sandığım bu "işkence" sözcüğü, beynimin derinliklerine bırakılmış bir saatli bomba gibiydi. Yutkundum.

"Belki gerçekten de işkence görmüşümdür."

Sesim bir hortlağınki gibi çıkmış, panjurları sürekli yumruklayan damlaların -sanki dışarıda bırakılmış hayaletler içeri girmek için yalvarıyorlardı- fonunda hiç de hedeflemediğim, lanetli bir gizem oluşmuştu.

"Bence," diye başladı Khrish, "işkence filan gördüğün yok, gerçek bir acı çektiğini de hiç sanmıyorum. Sen acı çekeni oynuyorsun."

"Hayatım hakkında hiçbir şey bilmeden nasıl böyle konuşursun? Ömrün boyunca fizik teorilerini yuttuğun için, öyle bir bakışta, herkesin formülünü de bulduğunu mu sanıyorsun? Ben Türkiye'de doğdum ve büyüdüm."

Korkunç öfkelenmiştim. Ağızları, porsiyonu elli dolarlık karideslerle, pavuryalarla, adını bile bilmediğim yemeklerle dolu bu haddini bilmez heriflerin, kişisel acılarım hakkında fikir yürütmeleri beni çılgına çevirmişti. Alkolün de etkisiyle saçmalamaya başlamıştım.

"Ben de Hintliyim."

Haklıydı bir bakıma, Hindistan'ı, diri diri yakılan kadınları, aç vücutların düşüp öldüğü Ganj'ı düşündüm. Ama ben böyle bir acıyı kastetmemiştim, aslında ne anlatmaya çalıştığımı bile bilmiyordum. Beni hiç tanımayan, tanımak da istemeyen insanlara açılmak için güçlü bir dürtüye kapılırım zaman zaman, aslında bu bir tür kışkırtma, meydan okumadır. Ama kendi acılarına bile yabancılaşmış bu insanlara, acıdan söz etmenin ne anlamı olabilirdi ki? Yürekleri yerine, tıkır tıkır işleyen, yağlı bir makineyi kullananların inandığı, şu "acı çekeni oynama" kavramı, acının sayısız görünümlerinden biridir bence.

"Sen yıllardır Amerika'da yaşayan, Amerikalılaşmış bir fizikçisin. Ülkendeki acılara sırtını dönüp gittiğin için bunca parayı veriyorlar sana, o kanın üzerine sıçramasına bile izin vermezsin. Bir fizikçi olduğun sürece senden istenen, insanın kendisine de sırt çevirmendir zaten. Çözümleyici bir zekâdan başka değeri yoktur insanın; hedefi de, doğayı üç-beş formüle indirip denetim altında tutmaktır.

Tonu giderek sertleşen tartışmaya James el koydu.

"Bence sizler, bütün fizikçiler, bunalımın eşiğindesiniz."

"O eşiği çoktan aştık, değil mi Khrish?" dedim, sadece dudaklarımla gülümseyerek, içkimi bir dikişte bitirdim. Dönüş yolunda, Khrish, Hıristiyan olup olmadığımı sordu, cevabıma da oldukça şaşırdı. James ve Khrish, beni Kalabaş'ta izlemişler ve hiçbir Müslüman kadının böyle dans edemeyeceğine karar vermişlerdi. Bu geceki yemek davetinin, James'in imasının nedeni de buydu herhalde.

"İçkiden olsa gerek," diye açıklamaya giriştim.

"Sanmıyorum, bence içsel bir şeydi, bir dönüşüm," diye yanıtladı James.

"Yalnızlık içsel bir şeydir, taşkınlık da onun dışavurumlarından biridir," dedim.

O anda Khrish'in elini sırtımda hissettim, beceriksiz ve kabaydı dokunuşu, parmakları yağlı lastik gibiydi. Öylesine ani bir irkilmeyle geri çekildim ki direksiyondaki James bile bana doğru döndü. Denetim dışı kaçışım, karanlık jipin içine top mermisi gibi düşmüştü. Bu akşam yemeğinin sayısız rezilliğine, bayağılığına damgayı vuran katı ve gürültülü bir davranış göstermeyi başarmıştım sonunda, hem de hiç düşünmeden.

Otele vardığımızda, Khrish'e kumsalda dolaşmayı önerdim. Hem o korkunç, utanç dolu ânı birazcık unutturabilmekti niyetim, hem de herhangi bir Amerikan üniversitesinde bana bir iş ayarlayıp ayarlayamayacağını sormak istiyordum. Beş aydır maaş almadığımı, çok parasız olduğumu söylediğimde, Khrish, gerçekten de acı çektiğime inanmıştı. Öylesine Batılılaşmışsın ki, diye geçirdim içimden, sana işkenceden, tecavüzden, intihardan söz etsem burun kıvırırsın, ama parasızlığı geçerli bir mutsuzluk nedeni sayıyorsun.

"Senin yaşına gelmiş birisinin hayatını düzene koymamış olması çok tuhaf," diye başladı vaazına (yardım istediğimiz insanlar, nedense size bedava bir ahlak dersi vermeye de yükümlü sayarlar kendilerini), birdenbire panter kadar atak bir yaratığın çalıların arasından fırladığını ve hızla üstümüze geldiğini fark ettim.

Tony idi bu; o sessiz, yalınayak adımlarından tanımıştım. Kara bir hayalet gibi aniden belirivermişti. Elinde hâlâ iki büyük deniz kabuğu vardı.

Bana bir şey söylemeden, dosdoğru Khrish'e döndü.

"Bu güzel bayan için deniz kabuğu almak ister misin? Sadece on dolar."

"Nereden topluyorsun bunları?" diye sordu Khrish, kabukları göstermelik bir ilgiyle izlerken.

"Bunları toplamıyorum, denizden çıkarıyorum."

Aptallığımızdan, cahilliğimizden dolayı bizi küçümsemiş gibiydi, sanki doğru dürüst İngilizce konuşmaktan, "toplamak" ve "çıkarmak" arasındaki farkı bilmekten acizmişiz gibi. Biz, iki fizikçi, entelektüellerin, eğitilmemiş keskin zekâ karşısında duydukları o belli belirsiz utancı paylaştık bir an. Paranın yarısını ben verince Khrish bir deniz kabuğu almaya ikna oldu. "Ne halin varsa gör" anlamına gelen bir "iyi geceler" dileğinden sonra odasına gitti.

"Bu erkek arkadaşın mı?"

"Hayır."

"Ama seni beğeniyor."

"Bu mümkün."

Sesindeki, saklamaya hiç çalışmadığı kıskançlık, hatta kırgınlık canımı sıkmıştı. Üstelik geceleri boş kumsalda beni beklemesi, çalıların arasından gözetlemesi korku vericiydi. Kimin nesiydi bu adam? Benden ne istiyordu?

Odama doğru yürümeye koyuldum, yumuşak adımlarla beni izledi.

"Ben, Bay Alex'i arıyorum, deniz kabuğu satacağım. Bu gece onu gördün mü?"

"Bay Alex'i tanımıyorum."

"Nasıl tanımazsın, herkes Bay Alex'i tanır. Otelin sahibi."

"Bilmiyorum," dedim sabırsızca. Bir an önce odama varmak istiyordum.

"Aslında seni tekrar görmek istedim."

Aniden durdum, ona döndüm.

"Neden?"

Yalnızlığa öyle alışmıştım ki bir başkasının ilgisini ancak bir tehdit olarak algılayabiliyordum. Yabani bir hayvanın insan karşısında tedirginliğine benzeyen bir duyguydu bu. İçimdeki ceset uyandırılmaktan korkuyordu. Sesimdeki sertlikten yılmıştı, yumruk yemişçesine bir adım geriledi.

"Yarın buluşup buluşamayacağımızı öğrenmek istedim sadece. Marihuana getireceğim de. Bana boş yere taşıttırma."

"Elbette buluşuruz. Neden olmasın! İyi geceler."

Yatağıma uzandığımda tatsız bir duygu vardı içimde, ertesi sabah, hazır olmadığım bir sınava girecekmişim gibi. Belki de bu geceki tersliğimden sonra, Tony bir daha asla gelmezdi.

Ertesi gün, bir seminerden ötekine koşarken, beni bekleyen o gizemli randevuyu hemen hemen unutmuştum. İlginçtir ki, o gün, ilk kez seminerleri can kulağıyla dinlemiş, zevk almayı bile başarmıştım. Belleğimin çok gerilerinde, kuytu bir köşeye saklamıştım Kabuk Adam'ı, işte bu yüzden, akşamüstü, onu kumsalda gördüğümde şaşırdım.

Tanıdığım gerçek bir insan değildi o sanki, düşsel bir yaratık vücut bulmuş ve bu adada karşıma çıkmıştı. Tony, o hiç kimselere benzemeyen yerli yürüyüşü ile kayarcasına, dimdik, gururla geçiyordu. Hafifçe içe dönük, esnek adımları, kumları okşarcasına sessiz ve yumuşaktı. Krallığına gereksinim duymayan bir kral kadar görkemliydi; bir balerin değil, bir kaplan, pike yapan bir kartal kadar da zarif. Bu kumsalın, adanın, okyanusun asıl sahibinin kendisi olduğunu biliyordu.

Başını benden yana hiç çevirmemesine karşın, beni gördüğünün farkındaydım. Yeni yıkanmış, fönlü saçlarım, akşam yemeği için çekidüzen verilmiş giysilerimle, saat altıdaki kozmoloji seminerine gidiyordum. Toplantı salonuna doğru akın akın yürüyen fizikçilerden ayrıldım, bir bahçe duvarının üzerine çabucak tırmanıp ona el salladım. Hemen durdu, sakınımlı, çekingen, kendine özgü bir işaretle yanıtladı beni. Hiç düşünmeden ona doğru yürüdüm.

"Sürüyle insanın o tarafa doğru gittiğini gördüm," eliyle toplantı salonunu gösterdi, "anladım ki, seni bulmamın tam zamanı."

Yaz okulu için adaya gelmiş dev gruptan biri olduğumu bildiğine göre, beni bir süredir izliyordu.

"Getirdim."

"Neyi? Ha evet. Teşekkürler."

Hiç istemediğim şu "malı" bir an önce alıp konferansa yetişebilirdim.

"Ama burada veremem. Çok tehlikeli. Başka bir yere gitmeliyiz."

Gözucuyla salona baktım, son grup da içeri girmek üzereydi. Kozmoloji semineri az sonra başlayacaktı.

"Tamam. Nereye gideceğiz?"

Eliyle, koyun şimdiye dek hiç gitmediğim ucunu, gettonun ve şehrin bulunduğu yönün tam tersini gösterdi. Çok uzaklardaki palmiyeleri seçtim. Görebildiğim kadarıyla iskân edilmemiş, ıssız bir yerdi. Oteller zincirinin bitiminden birkaç kilometre ötedeydi.

"Korkacak bir şey yok. Buralarda herkes Kabuk Adam'ı tanır."

Kedi bakışları yüzümden hiç ayrılmıyor, bir cerrah keskinliğiyle aklımdan geçenleri kaydediyordu. Korkumu saklamam gerçekten çok güç olacaktı, ama mutlaka gerekliydi, ne tür bir oyun oynayacaksak oynayalım. Kuralları o koymuştu, ben de restini görmüş, düello davetini kabul etmiştim. Kumsal boyunca yürümeye başladık.

"Sen ne iş yaparsın?"
"Fizikçiyim."
"Fizik nedir?"
"Fizik... Yani biz, fizikçiler, maddeyi araştırırız."
İlk kez böyle bir soruyla karşılaşmıştım, hiç kolay değildi, üstelik Tony madde kavramından habersizdi.
"Yani, doğal olayları, doğayı inceleriz."
"Okyanusu, balıkları filan mı?"
"Pek öyle sayılmaz. Daha çok cansız varlıkları. Demek istediğim... Örneğin elmaların neden yere düştüğünü..."
Bu sefer kafası iyice karışmıştı. Uğraşacak daha önemli bir konu bulamadığım için de biraz acımıştı bana.
"Aslında, ben yazarım. Benim işim öyküler anlatmak."
Bunu söyler söylemez de gerçeğin ta kendisini dile getirdiğimi anladım. Ben gerçekte fizikçi değildim, diplomalar, dereceler almış olsam da hiçbir zaman bir bilim adamı olamamıştım. Ne elmaları yere düşüren çekim yasası, ne de kozmoloji, Tony'nin korkunç yüzünün gerisindeki gizler kadar ilgilendiriyordu beni. Bu adaya, bu kumsala gelişimin bir amacı varsa eğer, o da anlatmaktı, okyanusun sonsuzluğunu, vahşi ve tutkulu yağmurları, Kabuk Adam'ı. İşte ancak o zaman, öyküler anlattığımı söylediğimde, Tony beni benimsedi; onun için gerçek bir insan olmayı o anda başardım, çünkü gerçek bir işle uğraşıyordum.
"Benim öykümü de anlatacaksın, değil mi?"
"Belki, henüz bilmiyorum."
Öyküsünün yazılacağını, yazarından bile önce bilmişti Tony; onun geçmişe olduğu kadar, geleceğe de uzanan gizemli bir sezgisi vardı.
"Peki, ya kendi öykünü?"
"Ben hep kendi öykümü anlatırım, çünkü daha kolay. En kolayı."

Kumsal birdenbire bitmiş, sık çalılıklarla ve denizin üzerine çekilmiş beton bir duvarla karşılaşmıştık. Yola devam edebilmek için, duvarın deniz tarafındaki dar, yosunlu çıkıntı boyunca yürümek gerekiyordu. İki dalga arasındaki kısacık zamanda başardı bunu Tony, bense yerimde kalakaldım. Ayağımdaki ağır sabolarla, o kaygan, eğri zeminde, böylesine hızlı yürümem olanaksızdı.

"Yardım ister misin?"

"Hayır, kendim geçebilirim." Fönlü saçlarıma bakarak muzipçe gülümsedi.

"O zaman ıslanacaksın."

"Önemli değil," diye yanıtladım, somurtarak.

Dediği gibi oldu, duvarı aşana dek iki dalga yedim ve belime kadar ıslandım, ama sonuçta yardımını almadan ve en önemlisi, suya düşmeden geçmeyi başarmıştım.

Duvarın öte yanı sanki ayrı bir ülkeydi. Issız, bomboş kumsalda artık palmiyeler bile yoktu, terk edilmiş bir savaş alanı sessizliği hüküm sürüyordu. İnce, beyaz bir çöl şeridi, çalılıklar ve okyanusun arasına sıkışmış, uzayıp gidiyordu, ta uzaklardaki hindistancevizi ağaçlarına dek. Yerleşim alanları bitmişti, görüş mesafesinin sonuna kadar, kilometreler boyunca tek bir insan yoktu. İçimdeki korku hızla büyüyordu.

"Daha ne kadar gideceğiz?"

"Sana söylemiştim. Hindistancevizi ağaçlarının altına."

Sonsuzca uzakta görünen burnu yeniden gösterdi Tony. Daha önce de aynı yeri işaret etmişti etmesine, ama bu, içimi rahatlatmak şöyle dursun, giderek benliğimi ele geçiren korkuyu daha da artırıyordu. O hiç konuşmuyordu, suskun, soğukkanlı ve çok esrarengizdi. Bir maske kadar donuk yüzünden hiçbir şey okuyamıyordum; kaldı ki, kendi korkunç düşüncelerimin doğrulamasını bulmak kaygısıyla gözlerine bakmaya cesaret edemiyordum.

Açık seçik, hiçbir kuşkuya yer bırakmayacak bir şekilde biliyordum ki, Tony bana tecavüz etmek istese -bu durumda beni öldürürdü mutlaka- onu engelleyebilecek hiç ama hiçbir şey yoktu. Birden, dehşet içinde, yıllardır bir kadınla beraber olmadığını söylediğini anımsadım.

Issız kumsalda, hiç konuşmadan yürüyor, yürüyorduk. Her adımda, geri dönüş şansım azalıyordu. Ne kadar uğraşsam da uyanamadığım bir karabasandaydım. Geri dönmeyi öneremiyordum, dahası buna karar vermeyi bile bir türlü beceremiyordum. Özel bitkilerle uyuşturulup, Maya tapınaklarına götürülen kurbanlar gibiydim. Evet, her şey aynı bir karabasandaki gibiydi; hem hiç beklemediğim, hem de kaçınılmaz olduğunu bildiğim bir son yaklaşıyordu.

"Çantanda ne var Tony?"

Engellemeye uğraştımsa da, sesim fark edilir biçimde titremişti.

"Giysilerim."

Çantasına iri bir bıçak rahatlıkla sığabilirdi. İskeleye vurmuş cesedim geldi gözlerimin önüne, şişmiş, gırtlağı kesilmiş. Bıçakla öldürülmek ne kadar acı verirdi acaba? Nasıl olup da böylesine ölümcül bir tehlikeye atıldığımı aklım almıyordu. Beyazlarla siyahların, yoksul yerlilerle zengin turistlerin birbirinden nefret ettiği, bu şiddet dolu adada, bu bomboş kumsallarda, hiç tanımadığım biriyle yürüyordum. Yıllardır hiçbir kadınla olmamış, göğsü derin izlerle kaplı, ağzı dehşet verici bir yarayı andıran karanlık bir adamla. Daha geçen cuma, altı-yedi kişilik bir fizikçi grubuna kentin orta yerinde bıçak çekmişlerdi. İntihardı yaptığım, üstelik bunu, seçimimin farkında bile olmaksızın seçmiştim. Ölüm kararını veren ben değildim, içimdeki bir başka bendi, şeytani ve sinsi bir başka ben.

Ansızın, neye uğradığımı anlayamadan, kendimi üç kızgın köpeğin arasında buluverdim. O panik içinde, ne gariptir ki, ilk fark ettiğim, son derece önemsiz bir ayrıntı oldu; köpeklerden birinin cinsi dobermandı. Bana en yakın duranı ve saldırıya en isteklisi de oydu. Yanlışlıkla, ya da Tony'nin kurnaz bir planı sonucu, çalılıkların ardına gizlenmiş bir evin bahçesine girmiştik ve okyanus dışında kaçacak hiçbir yer yoktu. Zaten vakit de kalmamıştı, köpekler, hemen hemen bir metre çapında bir yarım daire içine almışlardı beni, dişlerini göstererek hırlıyorlardı, kuyrukları dimdikti. O korkunç, çaresiz durumda, bir ölüm ânı gibi uzayan saniyeler boyunca, sessizce bekledim ama köpekler saldırmadılar. Bir şey olmalıydı onları engelleyen – Tony! Hemen arkamda, bir mumya kadar kıpırtısız ve sakin duruyordu, o orada olduğu sürece köpekler son hamleyi yapamıyorlardı. Ayağımın dibindeki sopayı fark ettim.

"Ona gerek yok," dedi, çok uzaklardan gelen, tanrısal bir ses.

Öylesine şaşırmıştım ki korkumu bile unutuverdim. Tony, köpeklere hiç aldırmadan, beni, sadece beni izliyordu. Birliğine yeni katılmış askeri denetleyen bir çavuş gibiydi. Böylesine tehlikeli bir durumda, nasıl olur da yalnızca benim tepkilerimle ilgilenebilirdi ve neden?

"Tony, bir şeyler yapsana!"

Arkamdan hiç cevap gelmedi. Doberman bana doğru sıçradı, dizimin tam yanında birleşen dişleri duyumsadım. Çığlık attım.

"Tony yardım et."

"Korkmana gerek yok," dedi Tony, kılı bile kıpırdamadan. "Tek yapacağın bu!"

Yanıma geldi, sağ eliyle baldırlarına sertçe vurmaya başladı. Köpekler gerilediler.

"Bak işte, böyle yapınca korkutamayacağın köpek yoktur."

Gözlerime inanamıyordum. Baldırlarını döven şu küçük, sıska adamdan köpekler gerçekten de kaçıyordu. Belki de, ondaki korkunçluğu benden çok daha iyi sezmişlerdi.

Gürültüleri duyan ev sahibi, peşinde telaşlı karısıyla (ikisi de beyazdı) koşarak geldi; köpekleri çabucak yakalayıp götürdüler. Tony'ye şöylece bir göz atmış, tek kelime bile söylememişlerdi, ne bir özür, ne de uyarı. Tony onlar için var değildi ve onunla birlikte olduğum için ben de bir siluetten, yokluğun bir ikizinden başka bir şey değildim.

Hindistancevizi ağaçlarına doğru sessiz yolculuğumuza yeniden koyulmuştuk, bu son şoktan sonra, zaten konuşacak gücüm kalmamıştı. Umutsuzluk içindeydim. Yolumuzun üzerindeki son ev geride kalmıştı, artık dönmeye kalkışsam bile, tek başıma köpeklerin arasından asla geçemezdim. Beni parçalamaya kararlı üç köpeğin karşısında, soğukkanlılıkla, Tony'nin "baldır tekniği"-ni uygulama şansım sıfırdı. Yaşamıma ve ölümüme karar verecek tek irade, Kabuk Adam'ınkiydi bundan böyle.

İçine girdiğim yolun dönüşü yoktu; hindistancevizi ağaçlarının altında, beni, daha doğrusu Tony'yi ve beni bekleyene doğru yürüyecektim. Okyanus, insanların, o güçsüz, küçük yaratıkların sorunlarıyla hiç uğraşmadan, sonsuz bir suskunlukla izliyordu üzerine düşen iki gölgeyi.

Köpeklerin saldırısından sonra Tony'ye iyice yaklaşmıştım, annesinin dizinin dibine sığınan bir çocuk gibiydim. O benim hem koruyucu kılavuzum, hem de olası celladımdı. Çok gizemli ve derin bir bağdı bu, iki insan arasında olabilecek belki de en giz dolu bağ. Rüzgârın ölümcül aşkları ve nefretleri hatırlatan şiddeti, sabolarımın altında çığlıklar atarak kırılan çakıl taşları, dalgaların tekdüze fısıldamaları, her şey, algılayabildiğim her şey bir uyarı niteliği kazanmıştı. Aşırı parlak, boyanmışçasına yapay, mavi bir gökyüzü altında, kristal bir küreye hapsolmuştum ve yanımda yalnızca Tony vardı. Gardiyan mı yoksa mahkûm mu olduğunu bilemediğim Kabuk Adam. Zaten ömür boyu hep sahte, cansız bir dünyada, bir hapishanede yaşamıştım, gerçekliklerinden bile emin olmadığım insanlar arasında soluksuz kalmıştım.

Çalılıkların arasında bir kıpırdanma hissedince kaskatı kesildim, belki köpekler geri dönmüşlerdi. Çektiğim işkence uzadıkça uzuyordu. Oysa çalılardan, beyaz, eyersiz bir at fırlayıp ikircikli adımlarla bize doğru yaklaştı. Yabani bir attı bu, ama besbelli insana alışıktı. Bacakları kan içindeydi.

"Ona dokunmak ister misin?" diye sordu Tony.

"Evet, çok."

"Arkama geç. Önce elini koklatacaksın, seni tanımasına izin vereceksin. Sonra yavaşça kafasını okşa. Sana bir kere güvendi mi tamam."

Bir kadından söz eder gibiydi ve ancak bir sevgiliye gösterilebilecek sevecenlikle atı okşarken, gözlerini benden hiç ayırmıyordu. Asıl dokunmak istediği bendim, ikimiz de biliyorduk bunu. Dediklerini aynen yaptım, at yerinden hiç kıpırdamadan, uysallıkla izin verdi okşamalarıma. İlk kez bir ata dokunuyordum, tüylerinin hiç ummadığım yumuşaklığı, iri bedeninden yayılan sıcaklık beni etkilemiş, sakinleştirmişti. Bir başka bedenle, dost bir canlıyla temas etmek, ölüm korkusunun en iyi yatıştırıcısıdır. Kollarımı geniş boynuna doladım, burnunu öptüm. Tony, kızının ilk adımlarını seyreden bir baba tavrıyla izliyordu beni. Kabuk Adam'ın "ustalığını" düşünüyordum o anda, köpeklerle baş ederken, atı evcilleştirirken, bana yaklaşımında... Dövüşürken olduğu kadar, dokunurken de usta. Tek bir gövdede, sırt sırta iki zıt yüzü taşıyan Nepal bebekleri gibiydi Tony. Bir yüzü sert ve korkusuz bir korsanın yaralı yüzüydü, diğeri ise duyarlı ve şefkatli, bağışlayıcı bir aziz.

"Neden bacakları yaralı?"

“Çalı çırpı yüzünden. Bu sahipsiz bir at.” Hafifçe gülümsedi, yüzü sevgiyle ışıldadı.

“Sana öğretebileceğim çok şey var, senin de bana.”

Tekrar yola koyulduğumuzda, içimde yeni bir duygunun filizlendiğinin ayırdındaydım, minnetti bu. Tony bana bir baba şefkati göstermişti. İçgüdüm, baba-kız rolünü sürdürdüğümüz sürece güvenlikte olduğumu söylüyordu. Beni himayesine almak, onda da bir değişime yol açmış, beni sevmesini sağlamış olabilirdi. Tony'ye en başından beri bir parça güvenmiş olmalıydım, bu da onun eşi bulunmaz duyarlılığından kaynaklanmıştı. O hiç yanılmayan, sonradan da doğrulanacak içgüdülerimle, ondaki tehlikeli ve ölümcül yönü sezmeme rağmen, bu yolculuğa çıkmamı sağlayan da işte buydu. Oysa, katiller de herkes kadar, belki de herkesten daha duyarlı olabilirler ve babaların kızlarını öldürmeleri de görülmemiş bir şey değildir.

Mutlak güven ve korkunç bir ölüm korkusu arasında gidip gelen bir sarkaç sallanıyordu beynimde. Sonraları onda da, o uzun yürüyüş boyunca, böyle bir sarkacın sallandığını anladım; o da beni öldürmek ile bana âşık olmak arasında, her an değişen seçimler yapıyordu.

Hedeflediğimiz yere, Tony'nin belirlediği hindistancevizi ağaçlı burna vardığımızda güneş batmış, gökyüzü lacivertleşmişti. Sık palmiyeler, çalılıklarla kaplı kuytu bir yerdi burası; ağaçlar ve dikenli çalılar daha öteye, ya da karanın içlerine doğru geçit vermediklerinden, doğal bir çıkmaz sokaktı. Geride bıraktığımız oteller şeridi bir başka burun tarafından perdeleniyordu. Açık burunda rüzgâr iyice şiddetlenmişti, palmiyeler işkence altındaymışçasına titriyor, uğulduyorlardı. Bina kalıntılarını ürküntüyle fark ettim. Hitchcock filmlerini anımsatan, hiçbir görüntü ya da sesin dışarı ulaşamayacağı, ideal bir cinayet mekânındaydık. Dehşet, beni bir anda, bütünüyle ele geçirmişti, diğer bütün duygularım yerle bir olmuştu. Zekâm hâlâ işliyordu gerçi, daha önceleri, benzer durumlarda, yani ölümle burun buruna geldiğim anlarda olduğu gibi, bütün ayrıntıları gözlemliyor, bir kamera gibi kaydediyordum. Hiç yorum yapmadan, yalnızca tehlikeli, tehlikesiz diye sınıflandırarak.

"Burada eskiden bir otel vardı, üç yıl önceki kasırgada yıkıldı. Bir arkadaşım yaşıyor içerde, onu bulup çakmak alayım. Rüzgârda kibrit bir işe yaramaz."

İki kişiydiler, bire karşı iki! Bu ıssız burunda, otel yıkıntıları ve çalılıklar arasında, tanımadığım iki adamlaydım. O anda boynuma ilmiğin geçirildiğini düşündüm. Kafam durdu, otomatik pilota bağlanan bir uçak gibi, hayvani bir sağ kalma içgüdüsünün denetimine girdim. Tony arkasını döndüğü anda, var gücümle kaçacak, yakalandığımda da çığlıklar ata ata, dövüşe dövüşe, dişlerimle tırnaklarımla direnerek ölecektim. Bilinçli verilmiş bir karar değildi bu, tam tersine, içimdeki, ne pahasına olursa olsun, yaşamak isteyen varlığın ortaya çıkışıydı. Bacaklarımın koşacak, ellerimin yumruk atacak gücü olup olmadığını bilmiyordum, bilemezdim de. Otel kalıntısının içlerine doğru yürüyen Tony ansızın durdu, gülümseyerek bana bakmaya başladı. Kanım dondu.

"Şu anda benden kaçıp gitme."

Öylece kalakaldım, bu çok yalın cümle, derinlere inmiş, yüreğimin tam ortasına isabet etmişti. Bir okla vurulmuşçasına kıpırdayamıyordum. "Kaçıp gitme", "benden kaçıp gitme", "BENDEN." Ağlamak istiyordum. Bir zaman birisi, BENDEN kaçıp gitmiş miydi? Kimdi bu? Annem miydi?

Tony çalılıklarda kaybolduğunda, içimde tekrar çalışmaya başlayan sağduyu saati, kesinlikle kaçmam gerektiğini kabul ettirmişti. Daha fazla tehlikeye girmeden, bir an önce bu karabasandan uyanmalı ve bu aptallığı bir daha asla tekrarlamamalıydım. Hızla geriye doğru yürümeye başladım. Daha birkaç adım atmıştım ki sıcak bir dalga ayaklarımı okşadı. Ufak bir çocuk eli bileğimi kavramıştı. Durdum, denize doğru döndüm. Rüzgâr olanca gücüyle yüzüme çarpıyor, saçlarımı benden alıp götürmek istercesine uçuruyordu; ufuk, elimle tutabileceğim kadar yakınlaşmıştı bana ve okyanusun sonsuzluğunun içine çekildiğimi hissettim. Beni çağıran okyanustu. Orada kalmalıydım. O tek saniye, gizemli bir tek saniyede, okyanus, adını asla koyamayacağım bir şeyi öğretti bana. Yaşamın derinliğini ve sonsuzluğunu, gücünü. Arkamı döndüm, beni izleyen Tony ile göz göze geldim. Yalnızca birkaç adım arkamda, kollarını kavuşturmuş, kıpırdamadan duruyor ve bekliyordu. Onun gözlerinde de aynı çağrı, okyanusun çağrısı vardı. Tony biliyordu, artık kaçamayacak, kaçmayacaktım, bana uzatılan sonsuz eli geri çeviremezdim. Her şeyi biliyordu o, okyanusun sınırsız kudretini ve beni, o anda, Kabuk Adam ve okyanus ile sonsuza dek birleştiren bağı.

Ona doğru ağır ağır yürüdüm. Aynı sır dolu gülümseyişle, hiç ses çıkarmadan izledi beni. Yıkıntıların arasında, işaret ettiği bir taşa oturdum. O da, yerlilere özgü, kıvrak, rahat oturuşuyla yanıma çömeldi. Marihuanayı çıkarıp ustaca sarmaya başladı.

"Sana kimliğimi göstereyim de bana inan."

"Sana inanıyorum."

"Daha çok inan."

Çantasından, ABD Demokrat Parti'ye kayıtlı, otuz yedi yaşındaki Raymond A. Clarke adına düzenlenmiş bir kimlik çıkarttı, fotoğraftaki sert bakışlı, kaba yüzlü siyahiye hiç benzemiyordu.

"Burada Tony yazmıyor ki."

"Bak," dedi sabırsızlıkla sesi yükselerek, "şu ortadaki "A"yı görmüyor musun, işte o, Antony'nin A'sı, Tony Antony'nin kısaltılmışı!"

Bir ilkokul öğretmeni tarzıyla konuşmuştu. Kimliğin sahte olduğuna az çok emindim, ama hiç önemi yoktu bunun.

"Amerikalı olduğunu bilmiyordum."

"California'da doğmuşum, altı aylıkken babam beni Jamaika'ya getirmiş, orada büyüdüm, gettoda. Okula hiç gitmedim, okuma yazmayı kendi kendime öğrendim. Annemi hiç tanımadım. Ben doğduktan sonra kaçıp gitmiş. Dur, şunu yakıp geleyim."

Rüzgâr öylesine şiddetliydi ki, çakmağa rağmen cigarayı bir türlü yakamamıştı. Çalılıkların arasında kuytu bir yer buldu kendine, bu arada, arkama geçtiği anda, denetleyemediğim bir refleksle ayağa fırladım. Korkum hâlâ geçmemişti. Gittiği yerden bağırarak sordu.

"Hiç askerlik yaptın mı?"

"Hayır. Neden?"

"Bu tür bir hayata alışıksın da."

"Ne tür bir hayata?"

"Yalnızlığa."

Aynı duyguyu tekrar duymuştum, ta derinlerden vurulmuşum gibi. Tek, yalın bir sözcüğün içinde kolaycacık, ansızın yakalanan gerçeklik. En gizli yaralarımın kabuklarını birer birer koparıyordu Tony ve bunu nasıl yaptığını anlayamıyordum. Bugün de anlamış değilim.

Elinde, yakmayı başardığı cigara ile geri döndü, eski yerine çömeldi ve devam etti.

"Hiç görmedim annemi. O kadını görmek isterdim, sadece bir kez. Neye benziyordu acaba?"

"Sana benziyordur herhalde."

Uzun uzun yüzüme baktı, gözleri donuk ve hüzünlüydü.

"Herhalde."

Suskunlaşmıştı, kararmaya başlayan okyanusu seyrediyordu, cigarayı uzattı. Beceriksizce bir-iki nefes çektim. Pazar günkü konserde olduğu gibi, etkisini hiç hissetmemiştim. Tony'nin hiçbir şeyi kaçırmayan keskin bakışları, yalan söylediğimi, bu otun tamamıyla acemisi olduğumu yakalamıştı.

"Hiç keyif almıyorum bundan," dedi.

"Neden? Rüzgâr yüzünden mi?"

Aslında nedenini biliyordum, hâlâ geçmeyen ve bir türlü saklayamadığım korkum, yabaniliğim, taşın üzerinde tetikte oturuşum, cigarayı, elimde bomba varmış gibi tutup içime çekmeye çabalayışım, keyfini kaçırmış olmalıydı.

"Evet, rüzgârdan. Hadi dönelim."

"Baban ne iş yapardı?"

"Hiç. Her türlü işi. Resim yapardı bazen, çiçek resimleri."

"Şimdi nerede?"

"Bilmiyorum. Ben çocukken beni terk etti."

"Hiç hapse girdin mi?"

Kuşkuyla yüzümü inceledi bir an, ağır ağır yanıtladı.

"Kendimi beladan uzak tutmaya çalışırım."

Bu sefer, onun içimi okuduğu kolaylıkla, ben de onu okuyuverdim. Ruhunun puslu bir yerinde saklanmış, hapishane ve yasadışılığa dair bir öykü vardı, pek yakında, bana yeterince güvendiğinde açığa çıkacak bir giz. Artık, yaşamın yüzlerimize yazdıklarını doğru yorumluyorduk.

Geldiğimiz yoldan geriye dönüyorduk, ayak izlerimizi izliyorduk neredeyse. Gökyüzü koyu lacivert bir renk almış, yalnızca ufuk çizgisinde parlak bir mavilik kalmıştı, okyanus durgunlaşmıştı, geceyi bekliyordu. At ve köpekler gitmişlerdi. Denizden söz ediyordu Tony, okyanus diplerinden, mercanların, tropik balıkların ve bitkilerin rengârenk dünyasından. Okyanus, biz kara insanlarına göründüğü gibi değildi, karadakinden bambaşka bir hayat sürüyordu dipsiz sularda ve bu hayat kesinlikle canlı ve daha güzeldi. Suyun altındayken hiçbir yerde olmadığı kadar mutluydu Tony. Anlattıkları bana Walt Disney filmlerini, çocukluğumun masallarını anımsatıyordu. Denizcilerin, dalgıçların hayatı hiç ilgimi çekmemiştir, aslında denizin kendisini de pek o kadar sevmiyorum. Belki de okyanusun, üzerimdeki o büyüleyici etkisi de buradan kaynaklanıyor, bana o kadar yabancı ki, öylesine soyut ve kavranılmaz ki. Bir zamanlar İstanbul'da, birisi bana şöyle demişti: "Marmara Denizi'nin bir ömür boyu öğretemediğini, okyanus bir dakikada öğretir."

"Bazen, gece bulutu geldiğinde."

"Ne, ne bulutu?"

"Gece bulutu. Buralarda gece de, gündüz de bulut biçiminde gelir."

Tam olarak neyi kastettiğini anlamamıştım ama kullandığı imgenin güzelliği beni büyülemişti.

"Bunu da öykünde kullanacak mısın?" dedi, bilgiççe gülümseyerek.

"Belki, sanırım. Çok sevdim bunu. Gece bulutu."

"Fırsat olursa sana gösteririm. Mutlaka göstermeliyim."

Denizin kenarındaki duvardan, bu sefer ıslanmadan geçmeyi başardım. Yarı yarıya batmış bir kayığı gösterdi Tony, gelirken hiç fark etmediğime şaşırdım.

"Bu kayık benimdi. Sudan çıkarıp onarmam gerek."

Ansızın gelen, tuhaf, şeytani bir aydınlanmayla, Tony'yle bu tehlikeli yolculuğa çıkma nedenimin çok gizli, bilinçaltı bir istek olduğu şüphesine kapıldım. Tony tarafından öldürülmek. Kendisinden beni öldürmesini isteyebileceğim ve bunu gerçekleştirebilecek tek insan şüphesiz ki Tony idi.

"Biliyor musun," dedim birdenbire, "ben bir zamanlar kendimi öldürmeyi denemiştim."

Hiç düşünmeden, denetimsizce söylemiştim tek gerçek gizimi, söyler söylemez de şaşırıp kaldım. İki yıldır, Türkiye'den ayrıldığımdan beri, Maya dışında hiç kimseye bunu açmamıştım. Geçmişimi kusmaktan ve acılarım için başkalarından teselli beklemekten vazgeçeli uzun zaman oluyordu. İntihar benim gizli dehlizim, içimde sürekli taşıdığım ve zaman geçtikçe derinleşen kuyumdu. Her insanın, gün gelip de düşüp parçalanmaktan kendini güçlükle alıkoyduğu bir uçurumu vardır. Tony'nin söylenmeyeni duyma, karanlık dehlizleri aydınlatma yeteneği karşısında çözülmüştüm. Beni öldürebileceği gibi, yaşamın öz suyunu sunabilecek ve dünyaya somut bağlarla tutunmamı sağlayabilecekti Kabuk Adam.

Şimdiye dek, şu ya da bu şekilde, intihar denememi öğrenmiş herkesten çok farklı bir tepki gösterdi Tony, üzüldü, gerçekten üzüldü. İçten, derin bir acıyla, gözleri hafifçe yaşararak, "Bunu nasıl yapabildin?" diye mırıldandı. Beni ne yargılamaya, ne çözümlemeye kalkışmış, ne de ironik bir üslupla, denememin ne ölçüde "gerçekçi" olduğunu sorgulamıştı. Akılcı, mantıklı yaklaşımlardan, ucuz sevgi sözcükleri kadar iğrenirim; yeryüzü, zekâlarından başka bir şeyi olmayan insanlarla yeterince dolu zaten. Biz entelektüellerin, hiçbir zaman gösteremeyeceği cesaretle, bir intihar girişimiyle yüzleşebiliyordu Tony ve buna tek insanca tepkiyi, üzüntüyü gösteriyordu. Psikanaliz, nevroz, varoluşçuluk gibi kavramlarla kafası bulanmamıştı ve aslında son derece basit bir şeyi, bir başkasının korkunç acısını hissedebiliyordu. Bir başka insan için üzülebiliyordu. İkiyüzlü, çok bilmişlerin dünyasında eşi bulunmaz bir duyarlılıktı onunki.

Ender bir inci, hiç kimsenin açmaya değer bulmadığı bir kabukta yüzyıllarca saklanmış bir inci gibi ışıldıyordu.

"Nasıl yaptın, tabancayla mı?"

"Tabanca" sözcüğü beni şaşırtmış, ürkütmüştü; adı, olduğu nesne kadar soğuk ve acımasız, insanın suratında patlayan bir sözcüktü. Ben altı yaşlarındayken, babam eve bir Kırıkkale getirmiş ve o sıralarda evi terk etmiş olan annemi bununla öldüreceğini söylemişti. Dört uzun gün ve gece boyunca kitaplıkta, gözlerimin önünde beklemişti silah ve ben, çocuk ellerimle, o esrarengiz, kara yaratığa, ne kadar istesem de dokunamamıştım.

"Hayır, uyku hapı yuttum. Aslında, bunu anlatmayı pek istemiyorum."

Ayrıntıları anlatmak, öykünün kendisini anlatmak olurdu ve ben henüz buna hazır değildim. Ne kendime, ne başkalarına, gerçeğin kaba, anlamsız bir özetini sunmaktan öteye geçememiştim bugüne kadar. Bu olay çözülmemiş bir kara delik olarak kalmıştı içimde, bir türlü kapanmayan, sürekli kanayan bir yaraydı. Sargılar açılmaya, yara çıplak gün ışığıyla karşılaşmaya hazır değildi ve Tony'nin iyi niyetli ama keskin neşteri gerçekten de tehlikeli olabilirdi. Saklanıyordum, çünkü saklanmam gereken bir şey vardı, ne olduğunu tam olarak bilemediğim, dehşet verici bir şey. Ölüm değildi beni böylesine korkutan, uzun zamandır ölüme az çok hazır sayılırım; ölümü defalarca kışkırttım bugüne dek, kendimi gerekli gereksiz bir yığın tehlikeye attım; ama bu, korktuğum başka şeyler olmadığı anlamına gelmiyor. Ruhun karanlık vadilerinde gizlenmiş hayaletlerin sezilmesiydi bu belki de.

Omuzlarımız birbirine değecek kadar sokuldum Tony'ye, onun bedenine kenetlenmişçesine güvenlikte hissediyordum kendimi. Uzun zaman hiç ayrılmadan, sessizce yürüdük.

"Şurada biraz oturalım mı?" diye sordu, eliyle bir otelin bahçesindeki bankları işaret ederek. "Şu anda senden ayrılmayı hiç istemiyorum."

Palmiyelerin altındaki ıslak banklara oturduk. Gökyüzü giderek derinleşiyor, hava ağır ağır kararıyordu. Karaya dönük oturmuş, palmiye dallarının akşam rüzgârıyla birbirine sarılışını izliyordum. Okyanusun sıcak soluğu hep ensemdeydi.

"Bunu hiç anlatma insanlara. Kendini öldürmek istediğini. Anlayamazlar."

"Uzun zamandır kimseye anlatmamıştım. Sana öyle niye durup dururken söylediğimi bilmiyorum."

"Ülkene döndükten sonra, belki iki-üç yıl sonra, bu adaya haberi gelirse, yani kendini öldürdüğünü öğrenirsem... Benim de kendimi öldürmem gerekecek."

Afalladım. Bu bir kehanet miydi, yoksa benimle dalga mı geçiyordu?

"Haberin olmaz. Merak etme," diyebildim, zoraki bir gülümsemeyle.

"Belki de olur," diye cevapladı, "belki de olur."

Gözbebeklerimde sabitleşen bakışları kanımı dondurdu -bir kez daha-, ciddiden de öte kararlıydı. Çözümlenemez, korkutucu, esrarengiz, giz dolu, sonsuz derinlikte bakışlar, okyanusu gözlerinde barındırıyormuş gibi. Ancak bir katil böyle bakabilirdi ya da bir peygamber. Karayipler'in voodoo inançlarını, karabüyü ayinlerini anımsadım. James, dün gece yemekte, bu adadaki bütün yerlilerin karabüyüye inandıklarını ve çoğunun ayinlere katıldıklarını söylemişti: Belki de Kabuk Adam bir karabüyücüydü ve ben de bir büyünün etkisi altındaydım.

"Hayatta hiç kimseden, hiçbir şeyden korkmamayı öğrenmek gerek," diye devam etti. İpnotize olmuş gibi, gözlerimi gözlerinden ayırmadan dinliyordum.

"Tanrı'dan başka. Ben hiçbir şeyden korkmam. Kendin olmayı ancak öyle öğrenirsin. Bu hem basit, hem de çok zordur. Sadece kendin olmak. Ama sen Tanrı'ya inanmıyorsun, değil mi?"

"Hayır."

"Tabii, yoksa kendini öldürmek istemezdin. Tanrı her yerdedir, şu hindistancevizi ağacında örneğin, sadece dışını gördüğün ama içini hiç bilmediğin ağaçta. Benim içimde, senin içinde..."

"Ama ben ağacın içini biliyorum, yani kabuğu kaldırırsam altında ne göreceğimi."

Sırf konuşmak, üzerimdeki ağır, uyuşturucu etkisinden kurtulmak için konuşuyordum. Aslında ne dediğini bile doğru dürüst anlamamıştım.

"Görürsün elbet, ama bu onu bilmek değil ki."

"Bir bakıma da bilmek. Gerçekte neyi bilip bilmediğini bilmek asıl sorun."

Hayatım boyunca okuduğum yüzlerce kitabı, dinlediğim insanları, anlamaya çalıştığım kavramları düşündüm; fizik, edebiyat, felsefe, tarih... Hepsinden geriye kalan tortu, bir avuç kumdan daha fazla değildi. Yirmi beş yıl boyunca, yaşamın özüne ilişkin hiç ama hiçbir şey öğrenmemiştim. Beni, kendimi, temelden ilgilendiren bir soruyla yüzleşmiş miydim gerçekten? Bu çeyrek yüzyılı, tek bir ağacı sabırla izlemeye adasaydım, kesinlikle daha bilge biri olmuştum bugün.

"Kendini öldürmek istemene ne neden oluyor?" Uzun uzun düşündükten sonra yanıtlayabildim ancak.

"Her şey."

"Her şey mi?"

"Evet. Bu yüzden de bazen delirdiğimi düşünüyorum. Beni çok korkutuyor. Çıldırmak."

Delfi kâhini. Kabuk Adam, benim Delfi kâhinimdi, kendi sorularımı sormam ve kendi yanıtlarımı bulmamı sağlıyordu.

"Olamaz. Bu mümkün değil. Eskiden her şeyin mümkün olduğunu sanırdım ama bu değil. Yani, burada, palmiyelerin altında oturmak ve benimle konuşmak da mı kendini öldürmeni istemene neden oluyor?"

Tam o anda fark ettiğimiz, bize doğru yaklaşan otel müşterisi bir çift, beni bu yanıtlanması olanaksız sorudan kurtardı. Tuzu kuru, Amerikalı beyaz turistlerdi bunlar; adam şişman, orta yaşlıydı; hayatı boyunca kendinden bir kez bile şüphe etmemiş birine benziyordu. Bizi görmezliğe gelerek, önümüzden, bastırılmış bir korkuyu açığa vuran, sert asker adımlarıyla geçti. Peşinden gelen karısı, çok daha genç ve inceydi, bu tropikal sıcakta bile aerobik egzersizlerini aksatmıyordu herhalde; Tony'ye çekingen, belli belirsiz bir selam verip beni de gözucuyla baştan aşağı süzdü. O da korkusunu saklamayı başaramıyordu. Ne düşündüklerini çok iyi biliyordum. Bu ıssız kumsalda, alacakaranlıkta, bu tehlikeli zenciyle oturan çılgın beyaz kız! Tony kadının selamına gürültülü, son derece gösterişli bir "merhaba!" ile karşılık verirken, herkesin için için beklediği olay gerçekleşti ve kadın tam yanı başımızda çakılıp kaldı. Bu sevimli çiftin sevimli fino köpeği çalıların dibine sinmiş, gözlerini Tony'ye dikmişti. Önümüzdeki dar beton yoldan geçmeye bir türlü yanaşmıyor, kayışını panik içinde çekiştirip duruyordu. Kadın, sahibinin duygularını patavatsızca açığa vuran köpeğinden iyice utanmış bir halde, hemen eğildi, finoyu kucağına aldı, hızlı adımlarla kocasına yetişti.

"Bunlar beni tanır. Bu oteldeki müşterilerin çoğuna deniz kabuğu sattım. Hatta bunların kızına, çok beğendiği bir kabuğu hediye ettim. Bay Alex'i de iyi tanırım. New York'taki tropikal eşyalar satan dükkânı için kabuk çıkartırım. Bir keresinde beni dans ederken videoya çekti.

İçim burkulmuştu; bu zengin, şımarık herifler kendisini tanıdığı için minnet duyuyordu. Oysa ona vahşi bir hayvanmış gibi davranıyorlardı.

"Tony," dedim sözünü keserek, "hiç kızgınlık duymuyor musun? Onlar bu kadar zengin ve sen bu kadar yoksulsun!"

Yüzü öylesine değişti ki, aşılmaması gereken bir sınırı aştığımı, onu en zayıf, savunmasız yerinden vurduğumu anladım. Ben, birkaç aydır süren parasızlık, evsizlik ve güvencesizlikle doğru dürüst baş edemezken; o ömrü boyunca açlık çekmiş, itilip kakılmış, horlanmıştı. Karayipler'in kan ve suç ormanında, kara bir çocuk olarak doğmuştu, yazgısını belirleyen kara derisiyle, gettoda, tek başına büyümüştü. Yoksuldu, eğitimsizdi, siyahtı, beyaz adamın bitmez tükenmez hırsının ve sözde uygarlığının bir kurbanıydı... Öfkesinin ve acısının boyutlarını, ruhunda açılmış derin çatlakları nasıl kavrayabilirdim ki?

Sorumu doğrudan yanıtlamadı Tony ve ben de bunun için ona minnet duydum, bir banka soygununu anlatmaya başladı. Planladığı ya da düşlediği, belki de gerçekten yapmış olduğu bir soygunun, ayrıntılı ve biraz da teatral öyküsüydü bu, yarı otomatik silahlar, kumsala, otel yıkıntılarına gizlenen çuvallar dolusu para, polisi yanıltmak için kabuk satmaya devam ve günün birinde Florida'ya tek yönlü bir uçak bileti. Onu kendisinden ve yazgısından kurtaracak olan uçak. Bu soygunu gerçekleştirip gerçekleştiremediğini ona hiç soramadım.

"Ben de isterdim banka soymayı. Sanırım buna yetecek cesaretim var."

Karşılık vermedi, o sonsuz dikkatli bakışıyla yüzümü baştan aşağı inceleyip onaylarcasına başını salladı. Sanki, şimdiden iki suç ortağıydık.

"Ben öyle bir kadın istiyorum ki onunla evreni yeniden kurabileyim. Bir aile, bir ev kurmaktan da öte, bütün dünyayı, silbaştan beraber yaratmalıyız."

Hava bütünüyle kararıncaya kadar, palmiyelerin altında konuştuk, konuştuk... Neşeli ve içten bir sohbetti bu; düşler, anılar, umutlar, geride kalmış çocukluk ülkesinin serüvenleri, Türkiye, Jamaika. Birbirinden çok farklı iki hayatın çakışma yönlerini keşfediyorduk birer birer. Onun kişisel geçmişi kadar, Karayipler'in, bu, gizlerini hâlâ koruyan adaların, kökü Kızılderililere ve Afrika'ya dayanan bir kültürün kapıları da yavaşça aralanıyordu önümde. Katledilmiş Kızılderililerin, yurtlarından çalınmış kara derililerin acısını ve yaşam sevgisini sırtlanmış bir kültürdü bu. Jamaika Paduası, Bakire Adaları, Kreolü ve Amerikan sokak argosunun iç içe girdiği bir İngilizce'si vardı Tony'nin; basit fakat vurucu sözcükler seçiyordu, yaklaşımları dolambaçsız ve inanılmaz ölçüde bilgeceydi. Kullandığı imgeler zengin ve güçlüydü; çok az insanda bulunan doğal bir şiirselliğe, yaratıcılığa sahipti. Mistik bir doğa adamı ve sokak şairi olduğu kadar, gettoda büyümüş bir serseriydi de. Gerçek bir korsan ruhu taşıyordu.

Aramızdaki konuşmalar ne kadar kısa ve basit olursa olsun, asla sıradan değildi ve açıklanamaz bir biçimde doyurucuydu. Bir çocuk konuşmayı nasıl öğrenirse, ben de öyle öğreniyordum iletişimi, kendimi ifade etmeyi; sevginin büyük ve süslü sözcüklere gerek duymadığını. Paslı ve küflü kavramlardan kurtuluyor, her sözün değerini, tazeliğini keşfediyordum. Yeniden akmaya başlayan bir nehir gibiydim, Tony'yle palmiyelerin altında oturduğumuz o akşam. Sıcak ve sevecen bir gece usulcacık yaklaşıyor, okyanus günün şiirini tamamlıyordu.

"Bana ne olduğunu bilmiyorum," demişti bir ara, gözleri durgunlaşmış, iyice derinleşmişti. Rüzgârın yüzüme savurduğu saçlarımı geriye atmıştım o anda, koyu sarı bir saç demetinin ardından ona gülümsüyordum. Güzel olduğumu hissediyordum. Âşık oluyordum.

Bir sevgi dalgasına binip uzaklaşmak. Gerçeklik diye bellediğim, bana acıdan başka bir şey vermemiş geçmişimden, sonsuz yalnızlığımdan. Oysa artık gece olmuştu ve birileri beni aramaya başlamadan akşam yemeğine yetişmek zorundaydım. Saat onda tekrar buluşmak için sözleşerek geri döndük. Ben seksen kişinin fizik tartıştığı uzun tahta masalara, o da Proje'ye, "büyükanne" diye çağırdığı, himayesine almış olduğu yaşlı, felçli bir kadınla paylaştığı küçük evine.

Otele vardığımda hemen Maya'yı aramış, onu bir demiryolu gibi uzayıp giden yemek kuyruğunun tam ortasında bulmuştum. Hâlâ Kabuk Adam serüvenimin ormanlarında dolaştığımdan, gülümseyişime karşılık vermemesinin üzerinde durmadım. Başımdan geçenleri, tadını çıkara çıkara anlatmaya hazırlanıyordum. Oysa Maya tek bir sözcük söylememe izin vermedi.

"Neredeydin bu saate kadar?"

İlk anda beni merak ettiğini, bu yüzden sinirlendiğini sandım.

"Bir bilsen, neler oldu, neler! Çok esrarengiz biriyleydim. Bir yolculuk..."

Hevesle anlatmaya koyulmuştum, ama Maya sözümü kesti.

"Bir saattir seni bekliyorum, odama giremedim." Yüzü Alaska kışları gibi sert, sesi kutup denizleri kadar soğuktu. Anlayamıyordum. Bir yabancıymışım gibi davranıyordu bana, cam gibi donuk gözlerinde hiçbir dostluk belirtisi bulamıyordum. Saç kurutma makinesini kullanmak için odasının anahtarını ödünç almış, sonra da cebimde unutmuştum. Bunda bu kadar kızacak ne vardı?

"Kusura bakma. Tam seminere geliyordum ki, o yerliyle..."

"Bir saattir odama giremediğimi söylüyorum sana, çok sorumsuzsun."

O âna değin büyük çabayla canlı tuttuğum gülümsemem sonunda donup kalmış, bir palyaço maskesinin gülümseyişine dönüşmüştü. Maya'nın ses tonu, çevremizdekilerin dikkatini çekecek denli yüksekti. Başlar bize doğru döndü. Birden, yakıcı bir aydınlanma ile, böyle davranmasının nedenini sezinledim. İki haftadır Maya "iyi öğrenci" olduğunu kanıtlamaya uğraşıyordu; bütün seminerleri izliyor, hocaların peşinden ayrılmıyordu. Bunları, yabana atılmayacak bir fizik sevgisinden çok, kariyer hesaplarıyla yaptığını anlayacak kadar iyi tanırdım onu. Bütün delidoluluğuna karşın, hayattan ne istediğini bilenlerdendi o, istedikleri için gereken ödünleri de vermeye hazırdı. Prof. Karbel ile sigara atışmasından beri, "onun tarafında," yani uyumlu, uslu öğrenciler safında olduğunu göstermek için canla başla çalışıyordu. "Grubun anarşisti" onun en yakın arkadaşı olsa bile, o, anarşist olmak ne kelime, sorun çıkaranları yola getirirdi!

Maya ile arkadaşlığımda, genellikle erkeksi, hatta centilmence denilebilecek bir tutum takınırdım; onun şımarıklıklarını, kaprislerini hoş görür, ansızın parlayan öfke nöbetlerinde hep alttan alırdım. Öfkesinin gerçek hedefi olmadığımı, yalnızca benim yanımda kendini ortaya koymaya cesaret edebildiğini iyi bilirdim çünkü. Ama bu kez kendimi tutamadım. Hem, "iyi öğrencilerden," uyumluluktan, uslulukten kusacak denli bıkmıştım, hem de Kabuk Adam'la yaptığım yolculuk, o hiç kimsenin dinlemeye yanaşmadığı serüven, hayatımın belki de en sarsıcı olaylarından biriydi.

"Anahtarın burada, saç kurutma makinen de sapasağlam duruyor, hiç merak etme," dedim sertçe ve yürüyüp gittim.

Bir şeyler söylemeye çalıştığını fark etmiştim ama arkama dönüp bakmadım.

Saat onu çoktan geçtiği halde Tony ortaya çıkmamıştı. Yemek boyunca öfkeli bir suskunlukla oturmuş, hiç kimseyle konuşmamıştım. İçim kıpır kıpırdı, ama Kabuk Adam öyküm onunla ilgilenmeyecek kişilere anlatarak harcamamaya karar vermiştim; dahası ne Kabuk Adam'la, ne kendi duygularımla ilgili olarak zihnimde hiçbir şey berraklaşmamıştı. Yemek saatinin bitiminden beri, kumsal ve restoran arasında mekik dokuyordum; en sonunda, bardan büyük bir romlu meyve kokteyli alıp Tony'yi akşamüstü gördüğümde el sallamak için çıktığım duvara oturdum ve hızla içmeye başladım. İçkim biter bitmez yatacak ve bu tatsız geceyi unutacaktım.

Tony'nin yumuşak kedi adımlarını arkamda hissettiğimde, kokteylin içindeki vişneleri parmaklarımla çıkarmaya çalışıyordum.

"Hey, bu kadar hızlı içme. Çok çabuk kafayı bulursun."

Kumsal yönünden değil de, otelin giriş tarafından gelmiş ve beni bir süre izlemiş olmalıydı. Çoktan yendiğimi sandığım o korku, Tony'nin üzerimde yarattığı ölüm korkusu gene, ansızın başlayıverdi. Ömrüm boyunca hiç kimseden böylesine korkmamıştım ve aslında somut bir nedeni yoktu. Zorlukla gülümsedim ve kadehimi ona doğru uzattım. Hiç çekinmeden, teşekkür bile etmeden aldı ve bir dikişte bitirdi.

"'Hızlı içme' diyene bak, senin gibi içki içeni de hiç görmemiştim," dedim. Korkumu bastırmaya ya da en azından gizlemeye, olabildiğince rahat gözükmeye çalışıyordum.

İnce, uzun parmaklarıyla vişneleri kâğıt bardaktan çıkardı; ağır ağır, göstere göstere, nispet yaparcasına yemeye koyuldu.

"En sevdiğim kısmı bu, bunları yemek. Sanki seni yiyormuşum gibi."

Dehşetle irkildim, o an olduğu gibi, bugün de hâlâ çözemediğim bir tepkiyle duvardan atladım ve var gücümle uzaklaşmaya başladım. Ama başım öylesine dönüyordu ki. Ansızın yeryüzü beni hızla içine çekmek istedi, sendeledim; düşmekten, son anda bir çalıya tutunarak kurtuldum. Kafamın içinde tonlarca ağırlıkta bir gülle vardı ve bu ağırlıktı bedenimi toprağın altına doğru hızla çeken. Beynimi betona çarpıp parçalamaktan güçlükle alıkoyabiliyordum sanki. Tony arkamdan koştu.

"Neler oluyor sana? Bu kadar sarhoş musun?" Yüzüme baktığı anda sarhoş olmadığımı, şiddetli bir şok geçirirmişçesine titrediğimi fark etti.

"Özür dilerim. Şaka yapmıştım sadece. Neden böyle korktun ki? Çok özür dilerim. Ahmağın tekiyim ben."

"Sorun yok Tony, iyiyim."

Kendimi toparlamaya çalışıyordum, ama sırtımdaki ürpermeler, kollarımın ve bacaklarımın uyuşması, hepsinden de kötüsü, başımdaki kurşun ağırlığı bir türlü geçmiyordu. Düşünüyordum. Bu tepkiyi gerçekten neye göstermiştim ve niçin? Akşamüstü, kumsalda yaşadığım dehşeti dışavurumuna indirgemeydi bu, çok daha eski ve köklü bir korkunun açığa çıkışıydı. Beni böylesine yere savurabilen korkunun nesnesi ne olabilirdi ki?

"Sana ot getirdim. Hindistancevizi ağaçlarına gidelim mi?"

O anki ruhsal durumumda, baş edemediğim korkulara kıskıvrak esir düşmüşken, aynı yollardan tekrar geçmeyi, aynı tehlikelere tekrar atılmayı düşünemezdim bile. Hem de bu korkunç zifiri karanlıkta! Şansımı bir kez daha zorlamaya, ölümle bir kez daha oynamaya gücüm kalmamıştı. Bu gece, ıssız bir yere gitmemeye kararlıydım.

"Hayır, uzaklara gitmeyelim. Çok yorgunum bu gece. Bir de, aslında ben karanlıktan korkarım."

Doğruydu son söylediğim, karanlıktan bir çocuk kadar korkarım. Hayalgücüm, mantığın denetiminden çıkar ve gerçekle fanteziyi ayırt edemez duruma gelirim.

"Karanlıktan herkes korkar, ama karanlıktakilerin aydınlığa çıkarılması gerekir."

Otelle Proje arasındaki kumsalda, iskeleye yakın bir yerlere gitmeyi önerdim. Hiç hoşlanmamıştı bundan ama kabul etmek zorunda kaldı. Restorandaki, sayısı ve coşkusu oldukça azalmış fizikçi grubunun meraklı baykuş bakışları altında yola koyulduk. Önde çevik ve hızlı adımlarıyla Tony yürüyordu, ben de hantal sabolarımla, çukurcuklar, su birikintileri, çalılıklarla kaplı, kapkara kumlukta, düşe kalka ona yetişmeye çalışıyordum. Tony, onu tanıdığımdan beri ilk kez yalınayak değildi. Eski püskü, bağcıkları kaybolmuş siyah botları vardı. Beyaz bir gömlek, beyaz bermuda pantolon giymiş, üç renkli yün bere takmıştı; bu gece için özel olarak hazırlanmıştı besbelli. Çekici görünmek için harcadığı çaba iç burkuyordu, öylesine yoksul ve çirkindi ki. Bense sabolarımı çıkarıp doğru dürüst bir ayakkabı giymeye tenezzül etmediğim için kendimden utandım.

"Giyinmişsin," dedim, en sevimli ses tonumla.

"Biraz. Çok az."

"Bereni değiştirdin mi?"

"Hayır, aynı bere."

"Geceleri farklı görünüyor."

"Geceleri mi daha güzel, gündüzleri mi?"

Hiç düşünmeden, geceleri, diye karşılık verdim, ama yanıtını öğrenmek istediği aslında başka bir soruydu.

"Bu sıcakta nasıl yünlü bereyle dolaşabiliyorsun," dedim, büyük bir pot kırdığımı bilmeden. Sonraları öğrendim ki bu üç renkli bere, Karayipler'de çok yaygın olan, Afrika kökenli Rastafari inanışının bir işaretiydi, ırkçılığa ve her türlü sömürüye karşı çıkışın simgesiydi, hiç taranmayıp uzun örgüler halinde bırakılan saçlar gibi. Yeşil, sömürgecilerin aldığı toprağı; sarı, o toprağın zenginliğini ve kırmızı da, uğruna dökülen kanı simgeliyordu.

Bunların hiçbirini Tony anlatmadı bana, adadan döndükten sonra, Rastafari kültürüyle ilgilenmeye başladığımda öğrendim. O yalnızca biraz gücenmiş bir tavırla, beresini çok eskiden beri taktığını söylemekle yetindi. Gür, dikenli çalıların arasında, kuytu bir noktayı hemencecik keşfedip bir cigara sarmaya başladı. Çevreyi kollamayı bir an bile bırakmıyordu.

"Bir gece, sabaha karşı, güneş doğmadan az önce, tam burada yengeç avlıyordum. Dört tane yıldızın birleştiğini ve onlardan yeni bir yıldız doğduğunu gördüm. Bir işaretti bu."

"Neyin işareti?"

"Bilmiyorum. Bir mucizenin belki."

Kısa bir suskunluktan sonra, Tony coşkuyla yengeç avını anlatmaya başladı, pek ilgilenmediğim için olsa gerek, bugün ayrıntıların hiçbirini hatırlamıyorum. Tek aklımda kalan anlatımının şiirselliği. Ancak çok iyi bir romancı, bir yengeç avını böylesine canlandırabilirdi.

"Ama sen yengeç yemezsin, değil mi?" diye kapattı konuyu; sıkıldığımı fark etmiş olmalıydı.

"Evet, nereden biliyorsun?"

"Bugün deniz ürünleri yemediğini söylemiştin." Doğruydu, laf arasında böyle bir şey demiştim.

"Nasıl hatırlıyorsun, çok şaşırdım. O kadar çok şey konuştuk ki bugün."

"Sana ilişkin her şeyi hatırlayacağım," dedi. Sesi birden yumuşamış, gözleri derinleşmiş, kapkara gökyüzünü içercesine büyümüştü. Sanki bana değil de, benim içimde gizlenmiş bir mucizeye bakıyordu.

"Özellikle de yüzünü, saçlarını rüzgâr savurmuşken."

Gözlerini kapamıştı. Bu akşam, palmiyelerin altında otururken, rüzgârın yüzüme savurduğu saçlarımı geri çekmediğim ânı mı düşlüyordu?

"İskelede, mercanlarda, derinliklerde... Her yerde yüzünü göreceğim bundan böyle."

Bir ipnotizmanın etkisinden kurtulurcasına silkindi, acı acı gülümsedi.

"Bana ne olduğunu biliyorum. Evet biliyorum. Âşık oldum."

Son cümleyi söylerken, kafasını hafifçe iki yana sallamıştı, "Artık bittim, mahvoldum," dercesine.

"Tony, lütfen bana âşık olma."

"Neden? Çok mu zor ele geçersin?"

İlk kez canımı yakmıştı işte, bu soruyu hiç hak etmemiştim.

"Hayır, hayır. Öyle demek istemedim. Ben pazartesi gidiyorum buradan."

Karanlığa karşın yüzünde fark ettiğim acının boyutu altüst ediciydi. Kabuk Adam beni gerçekten çok seviyordu. Böylesine derin, içten, karşılıksız bir sevgiyi elde etmek için hiçbir şey yapmamıştım oysa. Şimdiye kadar hiç karşılaşmadığım, yabanıl, hatta canavarımsı bir aşktı bu ve beni korkutuyordu.

"Belki gene gelirsin. Türkiye çok uzak mı buradan? Kaç saat çekiyor uçakla? Üç-dört saat mi?"

Çabucak bir hesap yaptım. İstanbul-New York, New York burası, en az on altı saat. Hayatım boyunca bir daha Karayipler'e gelecek parayı bulacağımı hiç sanmıyordum; kaldı ki, yüzlerce ada içinde tekrar St. Croix'yı seçmek...

"Hayır. Buraya bir daha hiç gelmeyeceğim."

Dürüst olduğumu sanıyordum ama aslında düpedüz kaba ve acımasızdım. Onun bir orkide gibi eşsiz ve zarif duyarlılığını, keskin, soğuk bir orakla biçiyordum. Sevilmeye her şeyden çok gereksinimim varken, bana karşılık istenmeden sunulan bu umulmadık sevgiyi reddediyordum. Ele geçirdiğim her şey için savaşmış, yıpranmış, didinmiştim; hayatın bu sürpriz armağanının değerini bilemeyecek denli katılaşmıştım. Yüreğim nasır bağlamıştı.

"Belki bavulunda benim için de bir yer vardır. Ama daha üç günün var, bazen üç gün o kadar uzundur ki..."

Bazen üç gün o kadar uzundur ki. Öylesine değiştirir ki insanı. O zaman bunu bilmiyordum Tony.

Ansızın başlayan bir motor sesiyle birlikte, üzerimizde parlayan farların ışığıyla donup kaldım. Elimde atıp atmamaya karar veremediğim cigara, cezaevinden kaçarken nöbetçi ışığına yakalanmış bir mahkûm gibi kıpırtısız ve dehşet içindeydim. Gözlerimi, karanlığı delip geçen sarı oklardan ayıramıyordum. Burnumuzun tam dibinde bir otopark olmalıydı.

"Araba geliyor mu, gidiyor mu?" diye fısıldadım, durumu benden çok önce kavramış Tony'ye.

"Gidiyor. Bak, böyle her şeyden korkup durmasana. Bir erkek nasıl davranırsa sen de öyle davranabilirsin. Eğer kokain çekiyor olsaydık başka, ama buralarda ot içerken polis bile gelse, 'siktir git' dersin, olur biter. Kime ne hesap verecekmişim, kadınımla ot içiyorum."

"Kadınımla" sözcüğünü gururla vurgulamıştı.

"Benim geldiğim ülkede bu tip şeyler yasaktır, cezası da çok ağırdır," dedim somurtarak. Doğrusu korkaklığımın yüzüme vurulması hiç hoş değildi. Araba karanlığın içinde çoktan yitip gitmişti bu arada.

"Bu müzik de ne?" diye sordum.

"Hangi müzik? Bu müzik değil ki!"

Ne olduğunu çıkaramadığım, ritmik, tekdüze bir ses duyuyordum sürekli, voodoo ayinlerinin müziğini andıran bir ses. Gerçeklikten uzaklaşmaya oldum olası yatkın olan hayalgücüm, marihuana ve karanlığın etkisiyle, bir şeyleri değiştiriyor olmalıydı; ama ben bir müzik duyduğuma emindim. Karayipler'de gerçekliğin sınırları iyice silikleşmişti zaten. O anda, Tony'nin ilk kez benden çekindiğini hissettim; benim gizimi çözmüş, çılgınlığın eşiğinde olduğumu anlamıştı. Acıma ve kuşkunun sevecenlikle harmanlandığı bakışlarla inceliyordu beni; nezaketinden olsa gerek, sesin ne olduğu konusunda hiçbir açıklama yapmadı.

Daha cigara henüz bitmişti ki, şiddetli bir tropikal yağmur, hiç işaret vermeden, ani bir duygusal tepki gibi başlayıverdi. Gökyüzü, bütün gerilimini bizden çıkarırcasına, iri ağır damlalar boşaltıyordu üstümüze. Ayağa fırladım.

"Hadi, gidelim buradan. Sığınacak bir yer bulalım." Yağmurdan rahatsız olmama şaşıran Tony sordu:

"Hey, senin ülkende yağmur yok mu?"

Biz daha altına girecek bir yer bulamadan, başladığı gibi ansızın kesiliverdi yağmur. Gökyüzünün öfkesi bir çocuğunki kadar kısa ve oyuncuydu. Gizli yerimize geri dönmektense, otelden çıkıp asfalt yolda yürüdük. Saçlarım, üstüm başım sırılsıklamdı, sabolarımın içindeki ayaklarım bile çamurlanmıştı. Tony, kumsala, çalıların arasına gizlediği iki büyük deniz kabuğunu eline almıştı. Çocuklarından birazcık uzaklaşmaya gönlü elvermeyen bir anne gibi, sürekli taşıyordu onları.

"Bu deniz kabukları çok ağır değil mi? Hep yanında taşıyorsun da."

"Bu adada, geceleri dolaşırken yanında mutlaka bir şeyler bulundurmalısın. Deniz kabuğu çok iyi bir silahtır, bıçaktan bile daha iyidir. Sana bıçakla saldıran birini rahatlıkla alt edebilirsin bununla. Bak böyle tutacaksın."

Elini deniz kabuğunun içine geçirdi, sert, pürtüklü yönünü bir kalkan gibi kullanarak, havayı yumruklamaya başladı.

"Anladın mı? Sen de dene."

Gösterdiği gibi yaptım. Kabuk, elime bir eldiven gibi uymuştu. Gerçekten de mükemmel bir silahtı, ama çok ağırdı, en azından beş-altı kilo kadar.

"Sana bıçağı savurdukça bununla durduracaksın. Burnuna bir tane indirdin mi de, işi tamam. Ama kabuk kırılabilir o zaman."

"Öyle güzel ki," dedim, "bunu kırmaya dayanamam."

Aslında bir insana vurmaya dayanamayacağımı düşünüyordum, ama açık vermedim.

"Hangisi daha güzel?" diye sordu, iki kabuktan birini seçmemi isteyerek. Bir tanesi ince, pembemsiydi, daha zarif kıvrımlı ve gösterişliydi, öteki ise sarı-turuncuydu. Büyük ve kaba olmasına karşın alçakgönüllü bir ağırbaşlılığı vardı. İkinciyi seçtim.

"Sence hangisi?"

"Senin seçtiğin daha güzeldir benim için," diye yanıtladı Tony, her zamanki inceliğiyle.

Hindistancevizi ağaçlarının bulunduğu buruna doğru yürüyorduk. Bir kez daha aynı yere gidiyorduk. Eski asfalt yol çamurlu ve bomboştu. Sıra sıra lüks otellerin zayıf ışıkları ve sokak lambaları, karanlığı yenemiyordu. St. Croix, turistik bir adadan çok, terk edilmiş bir kasabayı andırıyordu. Çok uzaklarda tekdüze havlayan bir köpeğin sesinden başka bir şey duyulmuyordu.

"Hadi, buradan kumsala inelim," dedi Tony ansızın.

Niyetinin otel yıkıntısına gitmek olduğunu sezmiştim. Karanlık ve ıssızlık beni alabildiğine tedirgin etmeye başlamıştı, daha da karanlık bir yere gitmek düşüncesi dehşet vericiydi.

"Ben bu otelin müşterisi değilim, bahçesinden geçmemiz sorun yaratır. Başını belaya sokmak istemiyorum."

"Asıl ben senin başını belaya sokmak istemiyorum. Ama sen zaten hep kendini emniyete alıyorsun. Bu da çok hoşuma gidiyor."

Tony, aslında, adanın tuzaklarla dolu, acımasız gecesinden çok kendisinden korktuğumun; aramızda geçenlere karşın, ona hâlâ tam olarak güvenmediğimin farkındaydı elbette. Bundan hem güceniyor, hem de dediği gibi hoşlanıyordu. O sıralarda bunun bilincinde değildim ama korku, ilişkimizin temellerinden biri, hatta diğer bütün duyguların üzerine işlendiği fonuydu. Beni art arda cesaret sınavlarına sokuyor, tepkilerimi dikkatle kaydediyordu. Köpekler saldırdığında, ot içerken, deniz kabuğu ile dövüşmeyi öğrenirken, karanlık ve ıssız kumsallarda, yollarda... Şimdi düşünüyorum da, hayatını yaşadığı işlerle kazanan biri olarak kimseye kolay kolay güvenmezdi. Sevgisini sunacağı kişiyi kendine göre elemelerden geçirmeliydi. Dost olabilmemiz için, benim ona güvenmemem kadar, onun da bana güvenmesi gerekliydi. Şimdiye dek sınavı geçmiştim, özellikle de bu akşamüstü kaçmayıp onu bekleyerek. Hiç kolay olmamıştı bu ve Kabuk Adam gibi biriyle herhangi bir ilişkinin ne kadar zor ve tehlikeli olduğunu öğreniyordum. Gücümü son sınırlarına dek zorlamıştım. Ölümün, işkencenin, hapishanenin kıyılarında yaşayan yasadışı insanların hayatları (ve dostlukları), iki temele dayanır: Güven ve cesaret. Bu değerlerden yoksun biri, tuzaklarla, bilmecelerle dolu bu dünyaya gözucuyla bile bakmamalı, hele hele onu tanıdığını öne sürmeye kalkışmamalıdır.

"Tony, bana güveniyor musun?"

"Bunu sorman çok tuhaf. Gözlerine bir kez bile bakmam yetti sana güvenmeme."

Bir an duraladı ve tekrarladı.

"Gözlerine bir kez bile bakmam yetti sana güvenmeme."

Bir sokak lambasının altındaydık; beyaz ışığın aydınlattığı yüzüne baktım. Bir şeyler olmuştu. Gözakları büyüdükçe büyümüş, darmadağın olmuş yüzünü ele geçirmişti. Ağır ağır, derinden gelen bir sesle konuştu.

"Kumsalda tanımadığın insanlarla yürümemelisin. Kız güzel, kumsal boş."

Sendeledim, kanım çekilmiş gibiydi. Nasıl bir durumda olduğumu anlatmayı denemeyeceğim. Yaşamımın hiçbir döneminde tekrarlanmayacak ve başkasına iletilemeyecek bir duyguydu yaşadığım. Kesinkes anlamıştım ki, karşımda duran Kabuk Adam beni öldürmeyi düşünmüştü ve bundan, bilmediğim bir şeyler vazgeçirmişti onu. Neden saldırmamıştı bana? Yabani ata dakikalarca sarıldığım için mi, yoksa azgın köpeklerin ortasında sessizce durup beni kurtarmasını beklediğim için mi? Kaçıp kurtulma şansım varken, okyanusun karşısında büyülenmişçesine kalakalışım yüzünden mi? Hiç, ama hiç bilemeyeceğim. Giyotine kafamı koymuş, bıçağın havada uçtuğu kısacık zamanda da geri çekmeyi başarmıştım. Beni öldürmemişti ve bu yüzden bana âşıktı.

Hindistancevizi ağaçlı buruna yolculuk, benim gibi Tony'yi de yerle bir etmişti. Kanlı bir meydan savaşı geçmişti ruhunda, isteğin yakıcılığı ve vicdanın zorbalığı arasında bir çatışma. Bir Arap hançeri gibi keskin ve tehlikeli arzu, bir Osmanlı kılıcı gibi ağır ve hükümran vicdan. Bıçakların her karşılaşmasında bir kadın gülümsemesi görmüştü belki de. Uzak, beyaz, yabancı bir kadın; himayesine sığınmış, korkak ve dik başlı bir kız çocuğu.

Hiçbir şey söylemeden geriye doğru yürümeye başladık. İkimizin de konuşacak gücü kalmamıştı. Artık aramızdaki ilişki bambaşka bir boyut kazanmıştı, henüz tanımlanmamış ve baş etmeye hazır olmadığımız bir boyut. Benim için ölüm korkusu, bir itiraftan sonra kesinkes bitmişti, ama yerine dayanılmaz bir duygusal yük bırakmıştı.

Gece ağırlaşmış, yaşlanmış gibiydi. Rüzgârın okyanustan taşıdığı tuz kokusu, ıslak toprağın ve karanlıkta görünmez olmuş yüzlerce tropik çiçeğin kokusuna karışıyordu. Yağmur her an yeniden başlayacaktı.

Karanlığın içinden bir ok gibi fırlayıp üzerime gelen arabayı fark edince bağırdım.

"Tony, dikkat et!"

Cevabı kısa ve açıktı:

"Ben gettoda büyüdüm."

Araba yirmi metre kadar ötemizde ani bir frenle durdu ve geri gelmeye başladı. Tony'nin arkasına sindim. Dövüşmek için sadece iki deniz kabuğu vardı!

Büyük, eski model bir Chevrolet idi, içinde karanlık görünüşlü, gece olmasına karşın güneş gözlükleri takmış iki siyah vardı. Bana hiç bakmadan, Tony ile uzun uzun konuştular. Yasadışı bir şeyler döndüğünü kolay anladığımdan, konuşmaları duyamayacağım bir uzaklıkta durmayı, hatta onlardan yana bir kez bile başımı çevirmemeyi daha akıllıca buldum.

"Kim bunlar?" diye sordum, araba uzaklaştıktan sonra.

"Arkadaşlarım," diye yanıtladı kısaca, kim olduklarına ve ne konuştuklarına ilişkin bir tek söz bile etmedi.

Gece yarısından az önce otelin kumsalına inmiştik. Bu saatte, fizikçiler çoktan odalarına çekilmiş, dev hızlandırıcılarla dolu rüyalarını görüyorlardı. Yorgun olduğumu ve az sonra yatmak istediğimi söyledim.

"Neden yorgunsun, anlamıyorum. Bütün gün oturuyorsun. Asıl yorgun olması gereken benim, sabahtan beri dalıyorum. Peki, tamam. Sen ne zaman istersen giderim."

Yağmur tekrar başladığı için, kıyıda, deniz malzemeleri kiralayan dükkânın eşiğine sığındık. Karanlık duvar diplerinde bekleşen hırsızlar gibi, birbirimize sokulmuş duruyorduk. Bir sigara yaktım.

"Bu gece ne çok yağmur yağıyor," dedim.

"Gökyüzü yıldızlıyken yağmur çok yağmaz."

Başımı kaldırdım. Soğuk, ıslak yıldızlarla dolu bir gök kubbe, okyanusun sonsuz karanlığının üzerine asılmış duruyordu. Siyah bir tülbente iğnelenmiş mücevherler gibi.

"Havadan anlıyorsun."

"Ne de olsa ben balıkçıyım."

"Sen Kabuk Adam'sın ne de olsa."

Kollarını birbirine kavuşturmuş, bir Kızılderili gibi dimdik duruyordu. Onun tipik duruşuydu bu, yıllar sonra bile, kollarını kavuşturmuş birini görsem Kabuk Adam'ı anımsayacağım. İncecik, narin bedenini, basık ve ufak zenci burnunu, beyaz gömleğinin açık yakasından görünen koyu kahve tenini seyrediyordum. Yıllardır görülmemiş eski bir sevgili gibi çok uzaklardan çıkıp gelen duyguyu tanıyordum; cinsel arzuydu bu. Cinselliğim çoktandır kuruyup gitmiş, arkasına bile bakmadan terk etmişti beni. Varlığının nedenini ve hedefini unutmuş, cılız bir hayalete, kendi kendisinin karikatürüne dönüşmüştü. Oysa şimdi, yara bere içindeki korkak bir sokak köpeği gibi yavaşça sokuluyordu benliğime. Yoğun bir sıkıntı ve baş dönmesiyle birlikte. Geldiği yere geri yollamaya çalıştım onu, bunca zamandır saklandığı karanlıklara. İçimdeki ölü canlandırılmak istemiyordu. Tekrar acı çekmek istemiyordum. Kaçmalı, Kabuk Adam'dan uzaklaşmalı, odama sığınmalıydım. Kolay tatil aşkları arayan, ihmal edilmiş kadın rolü oynamak istemediğimi anımsatıyordum kendime. Arzu kolaylıkla bastırılabilir, ama asla unutulmaz, artık biliyorum bunu. Bedenin bellek üzerindeki mutlak egemenliği.

Otelin gece bekçilerinden biri oradan kalkıp gitmemizi söylediğinde, hemen kabul ettim. Tony çok öfkelendi.

"Neden ona siktirip gitmesini söylemedin? Niçin insanların seni itip kakmasına izin veriyorsun?"

"O bekçi; sen de müşteri değilsin. Seni korumak istedim."

"Beni tanıyor o. Kıskançlığından yaptı. Beyaz kadınla gördüğü için."

"Siyahi miydi o?"

"Bir fırça dokunuşu zencilik var onda."

"Bir fırça dokunuşu zencilik..." Hiç zorlanmadan bulduğu imgenin güzelliğinden etkilenmiştim. Odalara doğru giden beton yolda birkaç adım atmıştık ki ansızın durdu.

"Ne oldu? Gelsene!" dedim, ne olduğunu anlamadan.

Çekingen, sessiz adımlarla yaklaştı. Utangaç ama gururlu, yumuşak ama kararlı bir sesle, gözleri dudaklarıma dikili, benimle sevişmek istediğini söyledi.

"Hayır, bu olanaksız. Biz sadece arkadaşız."

Bir kabuğa sığınırcasına kendi içime kapanmıştım. Sımsıkı, ürkek ve acı dolu.

"Sen nasıl istersen."

Yüzü daha da kararmıştı sanki.

"Bu kadarı da bana yeterli. Fazla bile."

Odama döndüğümde yaprak gibi titriyordum. İçimde bir yara kanıyor, kanıyor, kanıyordu.

Ertesi sabah uyandığımda, o günkü seminerlere girmemeye karar verdim. Yalnız kalmak, bütün zamanımı kendime ayırmak istiyordum. Çözümleyemediğim, başa çıkamadığım dönüşümler gerçekleşiyordu içimde ve bunların üzerinde düşünecek vakit bile bulamıyordum. Kendi hayatım iplerini koparmış, benden kaçıp gidiyordu. Grubun ilk seminere girmesini, çevrenin sessizleşmesini bekleyip kumsala indim ve yağmura aldırmadan, dosdoğru denize girdim. Su her zamanki gibi sıcak ve çamurluydu, dalgalar alabildiğine şiddetliydi. Yüzmek, özellikle dalgalı denizde, beni hep canlandırır, ne kadar yorgun olursam olayım, kendimi daha güçlü ve umutlu hissederim. Bir tür yaşama meydan okuma isteği doğar içimde. O sabah da, güçlü dalgalara ve bitkin düşmüş bedenime rağmen, yarım kilometre açıktaki mercanlara yüzmek gibi çılgınca bir düşünceye kapıldım. Daha on dakika geçmeden de vazgeçtim. Kulaçlarım gücünü yitiriyor, kayalıklar yakınlaşacaklarına, gitgide uzaklaşıyordu. Ayrıca köpekbalıklarından ürküyordum. Çocukluğumun en gizemli korkusu olan köpekbalıkları tarafından parçalanmak, ilk kez burada, Karayipler'de somut bir tehlikeye dönüşmüştü.

Sudan çıktığımda yağmur dinmiş, gökyüzü o parlak, canlı mavisine bürünmüştü. Güneş, acımasız, dev bir savaşçı gibi, hiç durmaksızın kızgın oklarını yağdırıyordu. Isıya daha kolay dayanabilmek için, kurulanmadan ıslak banklara uzandım. Tenimdeki okyanus damlaları teker teker kuruyup ter damlalarına dönüşürken, şu dizeler geldi aklıma.

Sadece benimdi,
zincirlerinden boşalmış bir at gibi koşan
beyaz okyanus,
ve o kum tepeciklerine gömdüm, altın anahtarını
yalnızlığımın.

Birkaç dize daha bulmaya, bir şiir çıkartmaya çalıştımsa da başaramadım, zaten bugüne dek şiir yazmayı hiç denememiştim. Bu adaya geldiğimden beri, sözcüklerle aramdaki ilişki de bir evrim geçiriyordu; artık eskisi gibi tanıdık, hizmetimde olan varlıklar değillerdi, kendi bağımsızlıklarını kazanmışlardı. Bense bambaşka bir boyutu, duyumları keşfediyordum. Çok daha gösterişsiz ve iddiasız olan, o vahşi ve söz geçirilemez duyumları. Okyanusun karşısında, tuz kokulu, sıcak rüzgârlar sürekli yüzümü okşarken ve palmiyeler kulaklarımda uğuldarken, her şeyi, bildiğim her şeyi unutuyordum. Geçmişimle bu an arasına dev okyanus dalgaları giriyordu. Rüzgâr bütün sözcüklerden daha güçlüydü burada ve yağmur, ilk anılardan bile daha eski.

Okyanusun ortasındaki bir adada geçirilen anları sözcüklere dökmeye çalışmak boşuna bir çabaydı. Onları yalnızca daha derinden yaşayabilir, içselleştirebilirdim. İşte bunun için dans ettim ben de. Güçlü bir tropikal yağmurun altında, ıslak kumlarda dans ettim. Denetimden çıkan, yarıda kesilip koşmaya, yürümeye, gündelik hareketlere dönüşen bale figürleri yaptım. Saçlarım ve parmaklarımla yakalamaya çalıştım rüzgârı, kasırgadaki bir ağaç gibi sallanarak devrildim, bir deniz kabuğu gibi kendi içime kapandım, bir tanrıya yakarırcasına okyanusa doğru diz çöktüm. Son kez dans ederken, baleden çok daha temel bir dansı, yaşamın kendi dansını keşfeden bir balerin gibi dans etmeyi yeniden öğrendim.

Adı Thomas'dı. Aşağı Antiller'den Barbados'da doğmuştu, bilebildiği kadarıyla dokuz kardeşi daha vardı ve babası cezaevindeydi. Otelin kumsalına, palmiyelerden yaptığı şapka ve sepetleri satmak için gelmiş, yanımdaki banka oturmuştu. Hiç çekinmeden, sepet yaparken kendisini seyretmemi istemişti benden, bu arada hayatını anlatmaya koyulmuştu. Çok koyu siyah tenli, kısacık saçlıydı, yüz hatları ince ve düzgündü ama korku verici bir sertlik, bir kin taşıyordu. Elindeki İsviçre çakısıyla palmiyeleri yontarken, bu sertlik ve öfke daha da artıyordu.

"Benim sanatım da bu. Buralarda çok genç yaşta bir sanat edinemezsen aç kalırsın ya da hapsi boylarsın. Senin için bir kuş yapacağım."

Tek bir kamıştan, çakının bir-iki dokunuşu, bir-iki düğümle ufak bir kuş yapıp bana uzattı.

"Sen çok güzel bir kadınsın."

Bu cümlenin daha tanışır tanışmaz, dosdoğru söylenmesini az çok kanıksamıştım artık, fazla etkilenmedim.

"Ama çok içiyorsun. Çok da yalnızsın. Bir erkek seni hayalkırıklığına uğratmış."

Güldüm.

"Nereden çıkarıyorsun bunları?"

"Gözlerinden. Yüzün çok güzel, vücudun (bunu derken hafifçe yutkundu) çok güzel, saçların çok güzel. Ama gözlerinin altı mosmor."

"Çok fazla içtiğimi sanmıyorum," diye karşılık verdim.

Yalnızlık konusuna değinmek bile istemiyordum. Bu ada yerlilerinin, sırf eğitimsizlikleri yüzünden basit oldukları düşünülen bu insanların, beni bir bakışta çözümleyebilmeleri doğrusu canımı sıkmaya başlamıştı. O kadar şeffaf mıydım?

"Sevgilim olsana. Sana çok iyi davranırım. Kadınlara iyi davranırım ben."

"Hiç de öyle görünmüyorsun. Eminim ki kadınlarını dövüyorsundur."

"Bir kadın bana vurmadıkça ben ona vurmam."

"Bana hiçbir erkek vurmadı şimdiye dek, sanırım öldürürdüm onu."

Laf olsun diye söylemiştim, üstelik doğru da değildi ama korkunç bir hata yapmıştım. Yüzü öfkeyle çarpıldı.

"Sen öyle iğrenç biri misin ki, birini sırf sana vurduğu için öldüreceksin? Bir insanı öldürmek ne demek, biliyor musun? Böyle mi öldüreceksin onu?"

Çakıyı sıkıca tutup bir gövdeye batırır gibi hızla savurdu. Gözlerindeki o kopkoyu acımasızlıkla birleşince, son derece etkileyici bir cinayet simülasyonu yapmıştı. O an ölmenin de, öldürmenin de dehşetini yaşadım.

"Ben..., ee..., şey... öylesine söylemiştim. Kimseyi öldüremem."

Yıllar önce, bana hakaret eden birine -eski sevgilimdi- bıçak çekmiştim ve eğer birileri bana tam zamanında engel olmasaydı, sanırım onu gerçekten de öldürecektim. Çocukluğum şiddet içinde geçmişti ve şiddet midemi bulandırsa da, kişiliğimin ana motiflerinden biriydi. Genellikle sessiz ve soğukkanlı olmama karşın, bazen, özellikle tehdit edildiğim, aşağılandığım zamanlarda, yırtıcı bir hayvana dönüşüyordum. Hayatım boyunca sahip olduğum tek lakap "Puma" idi ve kıyasıya bir kavganın sonucunda takılmıştı.

Bıçağı öylesine ustalık ve kararlılıkla sallayan Thomas'ın devinimi, balgamlı bir tükürük gibi imgelemime yapışıp kalmıştı. Kolayca tamamlıyordum onu, metalin yumuşak etin içine girişi, kıkırdakların kesilirken çıkardığı ses, vıcık vıcık ılık kan... Altüst olmuş halde okyanusa doğru yürüdüm.

Sudan çıktığımda Tony, Thomas'ın yanındaydı, ikisi de bir türlü beceremediğim, adalılara özgü çömelişleriyle, kızgın güneşin altında (beyazlar gibi gölgeye gereksinim duymuyorlardı) oturmuşlar, birbirlerini çok eskiden beri tanıyormuşçasına sohbete dalmışlardı. Bakışları kapalı birer kutuydu. "Birbirlerine ne kadar yakınlar ve aslında ben onlardan ne kadar uzağım," diye düşündüm. Bu insanlar karaderili ve Karayipliydiler; okyanusla, doğayla olduğu kadar şiddetle de iç içe yaşıyorlardı. Benim hayal bile edemeyeceğim acılarla sertleşmiş ama benim çoktan yitirdiğim mutlulukları yaşamış olmalıydılar.

Yanlarına vardığımda, Thomas eşyalarını çabucak toparlayıp kalktı. Bu arada ikisinin de, havluya sarılmadan önceki kısacık zamanda vücudumu alıcı gözüyle incelediklerini yakaladım. Thomas'ın bakışı açgözlü ve küstah, Tony'ninki ise hüzünlü ve tutkuluydu. Thomas uzaklaşır uzaklaşmaz sorguya çekildim.

"Nereden tanıyorsun bunu?"

"Az önce tanıştık, sepet satıyordu."

Tony apaçık bir biçimde kıskanmıştı, kendisine bir rakip çıktığını sanıyordu.

"Sevgilin olup olmadığımı sordu bana."

"Sen ne cevap verdin?"

"Ne cevap vermeliydim?"

"Sen benim arkadaşımsın Tony."

Yüzü duygularını kesinlikle açığa vurmuyordu. Bana kızıp kızmadığını merak ediyordum.

"Ben mercanlarda dalmaya gidiyorum. Gelmek ister misin?"

O bir türlü ulaşamadığım mercanlara gitme önerisi çok çekiciydi, ama köpekbalıklarından olduğu kadar, Tony ile bir bedensel yakınlaşmadan da dehşetle korkuyordum. Pazar günü, Buck Adası'na yaptığımız gezide, şnorkelle dalarken paniğe kapılmış, önümdeki profesöre öyle bir sarılmıştım ki, adam o günden beri beni her gördüğünde kızarıyordu. Üstelik yemek saatine on beş dakika kalmıştı ve kahvaltıdan sonra öğle yemeğini de kaçırırsam, bütün bir gün aç kalacaktım.

"Hayır, seminere gitmem gerekiyor."

"Peki, tamam. Başka zaman gideriz. Yalnız sana bir şey söyleyeceğim, bu sularda kesinlikle yürümemelisin. Az önce arkandaydım."

"Ne? Ne zaman?"

"Sen denizdeyken. Tam arkandaydım."

Birkaç yüz metre ötedeki iskeleye yüzmeyi denemiş, yarı yolda yorulunca birkaç adım atmıştım. Tony'yi kesinlikle fark etmemiştim.

"Tam bastığın yerde bir yılan vardı, bu tür yılanların sokması korkunç acı verir, hatta öldürebilir bile."

Ölümün birkaç santim yakınından geçmiştim ve Tony olmasa bundan haberim bile olmayacaktı.

"Bilmediğin için korkmuyorsun ama bu sular tehlikelidir."

Bir an durdu.

"Evet, insan bilmediği şeyden korkmaz. Yarın o yılanı öldüreceğim."

"Az önce, iskelede dört-beş çocuğa rastladım. Azıcık aptal, neşeli turist rolü oynadım aslında. Köpekbalıklarından çok korktuğumu söyleyince benimle dalga geçtiler. Bir tanesi 'Önlemimi alıyorum ben,' dedi. Ben de bunu nasıl yaptığını sorunca, 'Onları gördüğümde yüzmüyorum,' diye yanıtladı. Arkamdan kahkahalarını duydum, hatta, 'Bak, köpekbalığı!' diye bağırdılar."

"O çocukları tanıyorum, bizim gettoda oturuyorlar. Onlarla konuşurum."

"Konuşacak bir şey yok ki kötü bir şey yapmadılar bana."

Tam ayrılırken Tony birdenbire,

"Dün gece için özür dilerim. Bana kızdın mı?" dedi.

Gene aynı apansız başdönmesini hissettim, dünyanın diplerine çekiliyormuşçasına gözlerim karardı, sendeledim. Ağırlaşan kafam yere yaklaştı ve gene mucizevi bir güç, beni düşmekten son anda kurtardı. Sendelemiştim. Tony dikkatle izledi bu gizemli davranışı ama beni tutmaya ya da yardım etmeye yeltenmedi.

"Hayır, kızmadım. Önemi yok."

"Bir daha bu konuyu asla açmayacağım," dedi Tony ve sözünü tuttu, bir daha asla bundan söz etmedi. Bu güçlü fiziksel tepkinin, cinselliğimle ilgili, çok derin bir yaradan kaynaklandığını anlamıştı.

Öğle yemeğinde, Maya'dan, o gün akşama kadar seminer olmadığını, bize yarım günlük bir tatil verildiğini öğrendim. Bütün grup boş olduğuna göre, günü yalnız geçirme tasarım da suya düşmüştü. Son iki gündür, seminerlerden, fizikten, kelepçelendiğim seksen fizikçiden hemen hemen kopmuştum. Tony'yle tanıştığımdan beri, ayrı bir ruhsal evrendeydim. Sanırım bu nedenle, grubun beni gözlediğini, birçoklarının ilgi odağı olduğumu anlayamamıştım. Sonuçta onların hayatı da tekdüze ve sıkıcıydı, seyirlik de olsa birazcık serüvene gereksinimleri vardı.

Yemek kuyruğunda, Norveçli Gunnar arkamdaydı. Daha önceleri, iki-üç kez edebiyattan söz etmiştik. İngilizce'ye çevirdiğim bir öykümü okumak için üsteliyordu.

"Sen fizikle pek o kadar ilgili değilsin galiba," dedi, damdan düşercesine. Ölümcül bir günahtan söz ediyor gibiydi.

"Hayır, ben sadece diskolarla, dansla ilgilenirim," diye karşılık verdim.

"Hiç sanmıyorum," dedi utanarak. Aşırı beyaz, çilli İskandinav yüzü kızarmıştı.

Kendine güveni olmayan, içedönük, romantik biriydi Gunnar. Bir kadının sevgisine gereksinim duyduğunu o kadar aşırı belli ediyordu ki çekici olmayı bir türlü başaramıyordu. Michael'ın (kız arkadaşı adaya varmadan bir gece önce beni odasına davet eden İngiliz) Gunnar için, "Her gece geri çevriliyor," deyişini hatırladım. Ne demek istediğini sorunca, "Gunnar'ın senden hoşlandığının farkında değil misin?" diye yanıtlamıştı. Oysa Gunnar, benim değil, bütün kadınların, ona düşlediği aşkı sunabilecek hayali bir kadının peşindeydi.

Diğer "hayranlarım" arasında Amerikalı Larry'yi, Sten ve bira düşkünü, keskin bir espri anlayışı olan, fizikçiler arasında üstün zekâlı diye tanınan İngiliz Tim'i sayabilirdim. Larry, uzun saçlı olduğu, rock müziğini ve marihuanayı sevdiği için kendini sıradışı sayıyor, grupta yalnızca benimle anlaşabildiğini iddia ediyordu. Sten ise, İspanyol kızı öyküsünü tekrar tekrar anlatan İsveçliydi. Onun cinselliğe düşkünlüğü, cinsel açlıktan çok, gizli bir sevgi, sevilme açlığıydı bana kalırsa. Aslında bu insanların hiçbiriyle uzun boylu ilgilenmemiştim. Onları değerlendirirken biraz önyargılı ve insafsız olduğumun farkındaydım. Sisler içindeki bir ormana bakar gibi inceliyordum fizikçi topluluğunu, hiçbir kişiliğin zihnimde berraklaşmasına izin vermiyordum. Gözlerim, kendimde bulduğum zaafların, ısrarcı bir şefkat arayışı örneğin, onlardaki izdüşümünü saptamaktan öteye geçemiyordu.

Uyumsuzluğum, sivriliğim, yazarlığım, Türkiye gibi "egzotik" bir ülkeden gelişimin dışında, Prof. Karbel ile aramdaki sessiz savaş yüzünden de bir tür merak uyandırıyordum. Sigara kavgasından sonra hocaların bazıları bana çok daha dostça davranmaya başlamıştı örneğin. Kimlik takmak dışında hiç ödün vermemiştim. Prof. Karbel'in, öğrencileri sordukları sorulara göre değerlendirdiğini bildiğim için, tek bir soru bile sormamıştım. Herkesin daha ilk günden teslim ettiği, uzmanlık alanımıza ilişkin yazıyı hâlâ hazırlamamıştım. Öğrencilerin seçilmek için kıran kırana yarıştıkları "öğrenci seansına," yani dört öğrencinin kendi çalışmalarını sunacakları seminere, Prof. Karbel önerdiği halde katılmamıştım. Kariyerim açısından aptalca davrandığımın, gelecekteki yaz okullarını, bundan da öte, iş olanaklarını kaçırdığımın farkındaydım. Her profesyonel çevrede olduğu gibi, bilim dünyasında da kişisel yakınlıklar çok önemlidir; güçlü birinin dostluğu, insana kendi yeteneklerinden daha fazla kapı açar. Bense mantıklı olmak yerine, hep tepkisel davrandığımdan, o kısacık yaz okulu boyunca mesleki geleceğimi ciddi biçimde zedelediğime eminim. Hiçbir fizik sorunu, Tony ile ilişkimdeki gizler kadar ilgilendirmiyordu beni, bunu da kariyer hesaplarıyla gizleyecek biri değildim.

Böylesine uzlaşmaz ve asi bir tavır takınmamın asıl nedeni, fizik dünyasında geçirdiğim iki yıl içinde bütün iletişim ve dostluk umutlarımı kaybetmiş olmamdı. Araştırma laboratuvarındaki en doğal olay, içinizi açıp, sırlarınızı döktüğünüz birinin, ertesi gün ortalardan yok olmasıydı. En küçük bir yakınlaşma çabası kabaca reddedilmekle son bulurdu. Maaşımın kesildiğini öğrenen ev arkadaşım, güya yakın dostumdu, daha o gün beni evinden kovmuştu. Nice randevuda ekilmiş, nice mektubum yanıtsız kalmıştı. Hakkımda yapılan sayısız dedikoduyu dinlemekle geçmişti bu iki yıl. Benim kadar yalnız ve umutsuz olan Maya, avuntuyu çoğu zaman tek gecelik ilişkilerde arardı. Genç ve güzel bir kadınsanız eğer, erkekler gövdenizi asla reddetmezler, sizi reddetseler bile. Bir yıl kadar önce, fizikçi sevgilisi, konuşmaya ya da mektup yazmaya bile tenezzül etmeden Maya'yı bir bilgisayar mesajıyla terk etmişti ve Maya o günden beri toparlanamamıştı. Bense bu "gece birlik" ilişkilerin, yalnızlığımı kısa bir süre için dindirse de, beni daha korkunç bir şefkat açlığına sürükleyeceğini düşünüyordum. Üstelik bir Türk kadınıydım, içinde büyüdüğüm hoyrat, sevgisiz toplumda, cinselliğim öldürücü darbeler yemişti. Kendime olan saygımı yitirmeden, böyle ilişkilere kolay kolay giremezdim.

Sonuçta alışmıştım, yalnızlığa, sevgisizliğe, yalnızca kendim için var olmaya, en insani tepkilerimin anarşistlikle suçlanmasına alışmıştım. Giderek, karşımdakilerin kafasındaki imgeye daha çok benzemeye başlamıştım. Her geçen gün daha vurdumduymaz davranıyor, daha çok başkaldırıyordum, hiçbir otoriteyi önemsememeyi öğreniyordum. Şimdi de bu yaz okulunda en büyük yasakları çiğniyordum. Padişaha kazan kaldırdığım gibi, uslu uslu seminer dinlemek ve doktoralarını en iyi üniversitelerde tamamlamış bu parlak gençlerden birine âşık olmak yerine, serseri bir zenciyle gezip tozuyordum. Yoksa ben de, kara penis tutkunu hızlı kadınlardan biri miydim? Hakkımda böyle düşündüklerini çok iyi seziyor, bundan hınzırca bir tat bile alıyordum. Keşke hayatım onların sandığı kadar basit olabilseydi!

Cuma öğleden sonrası için önüme sunulan seçeneklerden en sıkıcısını, adanın ikinci kasabası olan Frederickstedt'e gitmeyi seçtim. Halbuki Şeker Burnu'na gitseydim, hayatımda ilk kez bir köpekbalığı ile karşılaşacaktım. Fizikçiler ona OPAL ismini verdiler, laboratuvardaki dev dedektörlerden birinin adıydı bu. Biz, Frederickstedt yolcuları, altı kişiydik, Maya ve onun burnunun dibinden ayrılmayan vatandaşı Andreas, İngiliz Tim ve onun sessiz, utangaç arkadaşı Lennard, Amerikalı Paul. Frederickstedt, beyaz, ahşap kolonyel evleri, dar, iç içe geçmiş sokakları ile Christianstedt'e çok benziyordu ama daha harap ve kasvetliydi. Hemen hiç lokanta ya da bar, hatta dükkân bile görünmüyordu. Sokaklarda tek tük rastladığımız insanlar da ada yerlisiydi ve oldukça yoksul görünüşlüydü. Sıcağa fazla dayanamayan Andreas ve Lennard, bira içebilecekleri bir yer bulmak amacıyla gruptan ayrıldılar, biz de Maya'nın diretmesi üzerine kent plajını aramaya koyulduk. Kore Savaşı'nda ölen adalılar için yapılmış bir anıtın başında, Bob Marley'in "Buffalo Soldier" adlı şarkısından söz ediyordum -ki, Kızılderililere karşı savaştırılan karaderili askerleri anlatan bir şarkıdır bu- beni dikkatle dinleyen bir adalıyla göz göze geldim. Reggae ile ilgilendiğim için mi yoksa sömürgecilikten söz açtığımdan mı bilmiyorum, bana dostça gülümsedi ve herhangi bir yardıma gereksinimimizin olup olmadığını sordu. Karayipler'de, bir yerlinin turistlere yardım önermesi pek ender bir olaydır; on yılda bir adaları yoklayan kasırgalardan bile daha ender.

"Plaja giden yolu arıyoruz," dedim grup sözcülüğünü üstlenerek.

"Kıyıyı takip edin, sağa doğru. Iyi şanslar!"

Genellikle yerlilere pek güvenmeyen Maya yüzünden sola doğru gittik ve kaybolduk. Kavurucu güneşin altında, beyaz, parlak bir labirentteydik; birbirine çok benzeyen sokaklar uzadıkça uzuyor, ıssızlaştıkça ıssızlaşıyordu. Denize vardığımız noktalarda, sahil ya inilmeyecek kadar dik ya da çok kirliydi. Boş içki şişeleri ile dolu, pis kokular saçan bir çöplüğün hemen önünde denize girmiş iki yerli (kıyıdan en fazla iki metre uzaklaştıklarına göre buralarda köpekbalığı olmalıydı) İspanyolca bağırdılar ardımızdan.

"Bizi öldüreceklerini söylüyorlar," diye çevirdi Maya, beti benzi atmış bir halde.

"Nereden anladın?" diye sordum. Bildiğim kadarıyla Maya tek kelime İspanyolca konuşmazdı.

"*Terminatör II* filminden. Böyle filmlere gitmemen kültüründe bir açık, işte gördün."

Bir gün önce, sözünü ettiği sıradan bir filmi görmediğimi söyleyince, "Şimdi anladım hayatında neyin eksik olduğunu," diye karşılık vermişti Tony.

Artık plajı aramaktan vazgeçmiş, kent merkezine ya da en yakın taksi bulabileceğimiz bir yere ulaşmaya çabalıyorduk. İşin kötüsü, dönüş yolunu hiçbirimiz anımsamıyorduk. Yedi-sekiz kişilik bir gençlik çetesi tarafından izlendiğimizi anlayınca, grupta bir panik havası esmeye başladı. Bu adada bir yığın serüvene atılmış olmama karşın, ben de korkuyordum. Arkamızdakiler kenar mahalle gençleriydiler, yirmili yaşlarda ve karaderiliydi hepsi, apaçık bir nefretle bakıyorlardı bize. Bir kovalamacanın içindeydik. Biz hızlandıkça onlar da hızlanıyor, arayı elli metreden fazla açmadan, sessiz bir kararlılıkla izliyorlardı bizi. Paul ve Tim, olası bir kavgada başlarına gelecekleri sezdiklerinden, Maya ile beni geride bırakmış, koşar adım uzaklaşıyorlardı. Bu arada, serserilerden biri, çete reisi olsa gerek, ikimize iyice yaklaştı.

"... (anlayamadığım bir sözcük) ister misiniz?" Hiç durmadan yürümeye devam ettik, çocuk daha da yaklaştı. Tam arkamdaydı.

"... ister misiniz?"

Maya'ya devam etmesini fısıldayıp durdum, arkama döndüm. Göz göze geldik. İnce uzun bedeni, beline dek inen saç örgüleri, hüzünlü, kapkara gözleriyle şimdiye kadar gördüğüm en çekici erkeklerden biriydi. Ondan kesinlikle korkmuyordum artık, üstelik ne istediğini de anlamıştım. Kokain satıcısıydı. Gülümsedim. Aynı anda o da gülümsedi, gözlerindeki parıltıdan çıkarmıştım ki bu çok güçlü cinsel çekimi o da hissediyordu. Serseri satıcı-turist kız ya da siyah-beyaz rolleri, bir anda, bu ani etkileşimle tuzla buz olmuştu. Artık sadece iki genç insan olarak, erkek ve kadın olarak karşı karşıyaydık.

"Hiç param yok."

"Gerçekten yok mu? Önemli değil."

Bu sihirli anları, ani ve katışıksız arzunun büyüsünü bozan bizim grubun bağırışları oldu.

"Hey, gelsene buraya! Çabuk!"

Yüz metre kadar ötede, bir sokağın köşesine sinmiş, beni çağırıyorlardı. Gitmek zorundaydım.

"Kötü bir niyeti yokmuş," diye açıklamaya giriştim.

"Bu insanlar çok tehlikeli. Niye herkesle arkadaş olmaya çalışıyorsun? Neyi kanıtlamak istiyorsun?"

Beni azarlamaya başlamıştı Maya ama fazla uzatmadı. Kırgınlığımız henüz bitmişti ne de olsa.

"Sadece kokain isteyip istemediğimi sordu."

"Üstelik bir de uyuşturucu satıcısı!"

Maya'nın yüzü buruşmuştu, yasadışı her şeyden, serserilikten nefret ederdi. Bu bakımdan benim tam zıddımdı. Nedenini bilmiyorum ama toplumdışı insanlara hep yakınlık duymuşumdur.

Rastladığımız ilk bara girince, Andreas ve Lennard ile karşılaştık. Yanlarına soğuk biraları dizmişler, bilardo oynuyorlardı. Sıcak hava, kaybolmak ve son kokain macerası herkesin canını sıkmıştı, bir an önce otele dönmek için sabırsızlanıyorlardı.

Özellikle de Maya, tekila kadehinden hamamböceği çıkınca, tropiklerden iyice bunaldığına ve "Avrupa medeniyeti"nin en iyisi olduğuna karar vermişti. Bense Tony'yi özlemiştim. Bu insanlarla ortak bir mesleği ve az çok ortak bir kültürü paylaşıyordum; Maya benim tek dostumdu, ama hiçbirinin yanında Tony ile olduğum kadar huzurlu değildim.

"Bütün gün seni aradım," dedi Tony, olanca sevecenliğiyle. "Nerelerdeydin?"

Akşamüstüydü, dün gece keşfettiğimiz, otel ile getto arasındaki kuytu çalılıktaydık. Güneş, okyanusa düşerek sönen kocaman, kızıl bir ateş topu gibi batıyordu. Gün boyunca buraların tek hükümdarı oydu, oysa şimdi çabucak ve sessizce bırakıveriyordu tahtını. Geriye kalan, bir cinayetten arta kalan kan gibi, gökyüzünü boydan boya kaplayan kırmızılıktı. Bir de gece boyunca sürecek olan sıcaklık. Tony ve ben, geceyle gündüz kadar farklı iki insan, hep geceyle gündüzün sınır çizgisinde, birbirleriyle birleştikleri ve birinin ötekine dönüştüğü akşam saatlerinde buluşuyorduk.

"Bugün çok yoruldum. Mercanlarda daldım."

"Ben de yoruldum."

"Senin söz ettiğin başka tür bir yorgunluk. 'Yoruldum' dediğinde gerçekten yorulmuş oluyorsun."

İşte, bir kez daha, Tony diplere, gerçeğin ulaşılmaz, karanlık noktalarına doğru yola çıkıyordu. Garip bir önsezi vardı içimde. Bir uyarı, bir fırtına habercisi.

"Geçmişinde bazı şeyler var, biliyorum. Anlatmıyorsun."

"Sana anlatamayacağım hiçbir şey yok."

"Çok nehirlerden geçmişsin bugüne dek."

Güldüm.

"Çok nehirde boğuldum."

Dudaklarımı kanatırcasına ısırdım ve gözlerimi kapayıp bir duvardan atlar gibi kendimi bıraktım.

"O kadar umutsuzum ki Tony, artık hiçbir şeyden korkmuyorum. Ölümden, tecavüzden, yalnızlıktan..."

"Ben öyle düşünmüyorum."

Şaşırdım. Bana ilk kez karşı çıkıyordu, hem de böylesine kişisel bir konuda.

"Korkmadığını söylediğin şeylerden korktuğuna eminim. İstemediğini söylediğin şeyleri de çok istiyorsun. Umutsuzluk değil seninki, sadece bıkkınlık. Yaşayan herkesin umudu vardır."

"Hayır, benim yok. Korkmadığımı söylerken kastettiğim, hiçbir şeyin beni gerçekten, derinlemesine korkutmadığı. Başıma ne gelirse gelsin, fazla umursamayacakmışım gibi. Bir başkasına oluyormuşçasına seyirci kalabilecekmişim gibi. Belki bunun bir tek istisnası var, işkence. Bedensel acıya dayanamam gerçekten de."

Gözbebekleri mercan çizgisinde sabitleşti. Şimdiye kadar hiç görmediğim bir bomboşluk vardı bakışlarında. Tony, kendi acısının derinliklerine düşüyordu.

"Ben," dedi ağır ağır konuşarak, "işkence gördüm."

İrkildim.

"Jamaika'da. Getto'da. Polis!"

Sözcükler ağzından teker teker, zorlukla çıkıyordu. Uzun zamandır, belki de hiç anlatılmamış bir öyküydü bu. Ona ne sormam, geçmişini ne kadar kurcalamam gerektiğini bilemiyordum. Kesinlikle aşmamam gereken tehlikeli bir sınır vardı mutlaka.

"Nasıl yaptılar bunu? Sana nasıl işkence ettiler? Bak, istersen hiç anlatma. Hatırlamak sana acı verecekse."

Yüzünde belli belirsiz sezdiğim, ağlamak üzere olan küçük bir çocuk ifadesinden başka hiçbir şey duygularını açığa vurmuyordu. Gerçeğin kendisinden değil de, kötü bir düşten söz edermiş gibi konuşuyordu.

"Bana haince işkence etmediler, yani parmaklarımı, dilimi falan kesmediler."

Bunu öyle sakin, fütursuzca söylemişti ki dehşete kapıldım. Birinin dilini ya da parmağını kesmek sıradan bir şeymiş gibi. Belki de yaşadığı acıları kanıksamanın bir yoluydu bu.

"Önce üstüme bir yatak, yatağın metal kısmını attılar, tepesine çıkıp tepindiler, tekmelediler, dövdüler, bildik şeyler işte. Ağzıma tornavida soktular, dişlerimin çoğunu parçaladılar. Çenem kırıldı."

Ağzının o korkunç, ürkütücü çirkinliğinin, garip bir yarayı andırışının nedeni buymuş demek ki. (Ona bu konuda densiz bir soru sormamış olmam ne büyük şanstı!) Sonra göğsündeki derin yara izleri, onu bu hale getirmek için neler yapmışlar! Tony'nin incecik, cılız bedeni ağır bir metalin altında, çatırdayan kaburgalar, çığlıklar... Ağlamış mıydı, yalvarmış mıydı, kan kusmuş muydu? Daha fazlasına dayanamayacaktım. Tony'nin geçmişi, yaşadığı korkunç bedensel acılar, sıcak kurşun gibi boğazımdan dökülmüştü.

"Çok uğraştılar benimle ama konuşmadım."

"Neden?"

"Konuşsaydım beni öldürürlerdi. Silahın yerini söyleseydim kesinlikle ölürdüm. Jamaika'da böyledir bu işler."

"Ne silahı?"

"Birini vurdum ben, sonra da silahı sakladım. Bulamayınca kanıtlayamadılar."

"Sen birini mi öldürdün Tony?"

Sesim boğulan birinin sesi gibi çıkmıştı. Başım dönüyordu, o duygu, toprağın altına çekiliyormuşum gibi...

"Onu vurdum. İki gün sonra öldü!"

Kabuk Adam bir katildi, en başından beri, o ıssız kumsalda, hindistancevizi ağaçlarına doğru yürüdüğümüz günden beri sezdiğim şey buydu işte. Biliyordum, evet biliyordum. Mantığımla değil, çok daha derinlemesine, onun için işte böyle şaşırmıştım. Günlerdir beni öldürmesi için nice fırsat tanıdığım insan gerçek bir katildi, tanıdığım tek gerçek katil hem de. Belki bu yüzden ona bu kadar yakındım. Rastgele gözümü dayadığım bir çatlakta karşıma çıkan, derin bir uçurumdu.

"Ben de, bir keresinde az daha birini öldürüyordum. Bana orospu demişti. Bıçağı elimden almasalardı, belki ben de..."

Cümlemi tamamlayamadım. Gerçeklik sisler içinde kaybolup gidiyordu.

"Biliyorum. Seni görür görmez sezdim bunu. İlk karşılaşmamızda, bana doğru yürüdüğün anda anlamıştım. Gözlerini gözlerimden ayırmıyordun. Sende de var bir şeyler. İstersen dünyanın en tehlikeli kadını olabilirsin. Ama istemiyorsun."

İkimiz de karşımızdakinin karanlığını, yabanıllığını sezmiştik demek ki. İçimizdeki ortak uçurumdu bizi bağlayan ve aramızdaki bağın bu kadar güçlü oluşunun nedeni çok derinlerde, ruhun en karanlık diplerinde kurulmuş olmasıydı. Okyanus dipleri kadar derin ve ulaşılmaz.

"Hiçbir zaman sonuna dek gitmeyi başaramadım, ne onu öldürebildim, ne de kendimi. Hiçbir zaman sonuna dek gidemeyeceğim."

"Bu içinde konuşan Tanrı, inanmadığını söylediğin Tanrı. Öldürmeni engelleyen oydu."

"Peki ya sen, Tanrı'ya rağmen mi?" diye düşündüm ama sormadım.

"Neden yaptın?"

Artık "öldürme" sözcüğünü kullanamıyordum.

"Bir arkadaşımın parasını çalmıştı. Geri istedim, vermedi. Jamaika'da böyledir, eğer birini tehdit eder de öldüremezsen o seni öldürür. Bir akşamüstü, gettoda, bir duvarın üstünde oturuyordum. Onun geçtiğini gördüm. Evime gittim, tabancamı aldım. Arkasından koştum, ismini bağırınca döndü. İki el ateş ettim."

Bir cinayetin, bir ölümün üç-beş cümlelik özeti işte. Her şey ne kadar yalın ve basitti. Cinayet dünyanın en sıkıcı, en sıradan işiydi; insani, duygusal, ahlaki bir boyutu, herhangi bir karanlığı, bir gizemi yoktu. Birinin dilini kesmek kadar olağandı.

"Onu vurdum, iki gün sonra öldü."

"Ben de kendimi öldürmeyi denemiştim."

Bir yengeç avını, tek bir ayrıntısını atlamadan, bir romancı ustalığıyla anlatabilen Tony ve "psikolojik öyküler" yazmaya çalışan ben... Kendi gerçeğimiz karşısında böylesine dilsizdik.

Sonuçta insan yaşamayı hep sürdürmek zorunda ve bunun için de kendisiyle birlikte yaşamayı öğrenmeli. Gündelik hayat denilen o sığ, engin denizde bir dizi mercandan başka bir şey değil işlediğimiz cinayetler, gizli suçlar, sırlar.

Tony "katil" olduğunu bir kez bile düşünmemiştir, sanırım. Öldürdüğü adamın gölgesini hep yüreğinde taşısa da. Ama benim için Tony'nin imgesi, cinayetle birleşmişti artık, okyanusla birleştiği gibi. Deniz kabuklarının şarkısının içinde ölüm ağıtı da vardı bundan böyle. Okyanusun, yaşam kadar ölümün de kaynağı olduğunu, ikisinin birbirinden asla ayrılamayacağını sanki bilmiyor muydum?

"Her türlü işe bulaştım. Miami'den kokain kaçırdım, satıcılık yaptım. Ama iki şeyden nefret ederim, hırsızlık ve tecavüz."

Günlerdir ondan boş yere korktuğumu ima edercesine, gözucuyla beni süzmüştü. Oysa gözlerindeki bir anlık donuk parıltı, içinden sağ çıkmayı başardığı ruhsal savaşın bir işareti, canlı bir tanığıydı. Hayatımı kurtaran ahlaki bir ilke olmuştu demek: "Tecavüz etmeyeceksin." En kutsal yasayı, "Öldürmeyeceksin"i, çoktan, kayıtsızca çiğnemişti Tony, ama tecavüz, kendisine koyduğu ve asla sorgulamadığı bir yasaktı. Bir an boş bulundum. Kendine ilişkin bir şeyler anlatma fırsatı bulmuş küçük bir çocuk gibi atıldım.

"Ben tecavüze uğradım. Saldırıya da, on yaşımdayken..."

Keskin, acı bir pişmanlık, cümlemi tamamlamamı engelledi. Kendimden nefret ediyordum. Bu iki olay da sır değildi, ama anlatmaktan hiç hoşlanmadığım, belleğimin en gözden uzak köşesinde çürümeye bıraktığım anılardı. Üstelik o şekilde söylemiştim ki Tony on yaşındayken tecavüze uğradığımı sanmıştı. On yaşındayken, okul kantininde, yirmi beş yaşlarında, şaşı bir adam bana saldırmıştı; iş tecavüze varmadan kaçmayı başarmıştım. Tecavüz ise üç yıl önce, çok sarhoş olduğum bir gece olmuştu; oldukça ünlü bir yazardı bunu yapan ve itiraf edeyim ki adamı kışkırtmıştım. On yaşımdan beri bastıramadığım bir suçluluk duygusu, o şaşı adamın yaka paça karakola götürülüşünün utancı, beni hep o yarıda kalmış girişimi tamamlamaya, gerçek bir tecavüzü kovalamaya itti. Defalarca, defalarca tehlikeye attım kendimi ve başıma ne gelirse gelsin, bu duygudan kurtulamadım. Çünkü bu, masum bir insanın, bir çocuğun suçluluk duygusu.

Bu anıları anlatmamamın nedeni, cinsel saldırıya uğrayan kadınların duyduğu o haksız utanç değil. İnsanların, sırf bir tecavüz öyküsü dinledikleri için bana acımalarından, "nevrotikliğimin" köklerini bulduklarını sanmalarından tiksinirim. Sonuçta o iki olaydan pek fazla etkilenmedim ya da öyle sanıyorum. Kendi cinselliğimle ilişkim öylesine karmaşık, gündelik ve olağan sayılanları da aralarında olmak üzere, o kadar çok şiddet yaşadım ki, tecavüzün bıraktığı izleri tam olarak saptamam olanaksız.

"Jamaika'da biri böyle bir şey yapsa onu oracıkta öldürürüz. Polise bile vermeyiz."

Hiddetlenmişti Tony, bana bunu yapanı yakalasa, kendi elleriyle öldürürdü, eminim. Bense kendimden bütünüyle umudumu kesmiştim artık. Tony ile aramdaki dolambaçsız ilişkiyi zedelemiş, oyun oynamaya başlamıştım. Belki en başından beri oynuyordum ama bunun bilincine ancak şu an varabilmiştim. Ne olursa olsun, bir şeyler yitip gitmiş, masumiyet bozulmuştu.

O âna kadar birbirimizle aracısız konuşabiliyorduk; iki insanın çıplak, maskesiz, bir zırha ya da kalkana sığınmadan iletişim kurabilmesi kutsal, mucizevi bir şeydi. Ortak bir geçmişe, birlikte var olma düşlerine dayanmayan bir ilişki, alabildiğine güçlü ama bir o kadar da kırılgandı.

O zaman farkında değildim ve ne yazık ki farkına varmakta çok geç kalmıştım ama şimdi biliyorum artık: Tony'ye âşık olmuştum. Oyunların ardına gizlenmem de bu yüzdendi. Yaşadığım bu duygu, şimdiye kadar duyduklarımın hiçbirine benzemese de, ancak aşk diye adlandırılabilirdi. Tiksinti ve korkudan, aşka doğru ani, bilinçsiz bir sıçrayış yapmıştım. Tırtıl, kelebeğe dönüşmüştü.

"Jamaika'da bir arkadaşım vardı. O da işkence gördü. Cezaevinden çıktıktan sonra, hiç kimsenin sırtına dokunmasına izin vermezdi. Yanlışlıkla çarpsan bile, tıpkı böyle kasılıp kalırdı."

Birdenbire parmaklarını sırtımda hissettim. Usulcacık bir okşayış bütün bedenimi ürperterek boynuma ulaştı. Titredim. Sevme yeteneğini hiç kaybetmemişti elleri.

"Sana ilk kez dokunuyorum, değil mi?"

"Evet."

Bir kadına değil de hayatın kendisine dokunuyormuş gibiydi. Hiçbir şey söylemiyordum. Ansızın elini geri çekti. İnanılmaz yoğunlukta bir şefkatin ve arzunun sıcacık izini, ömür boyu sırtımda bırakmıştı. Bir zamanlar birini öldürmüş olan bu el kadar hiçbir şey bana yaşamı böylesine derinden duyumsatmamıştı. Ölüm ülkesinin sınırlarına dek gitmişti Tony, bu yüzden de yaşamın gerçek değerini iyi biliyordu. Yalnızca kötülüğün en dibine inenler, erdemin doruklarına varabilirler.

O andan sonra, hava kararıncaya kadar konuştukça konuştum. İçimdeki bütün pisliği kusmak istiyordum: Şiddeti, acıyı, umutsuzluğu, yalnızlığı, tek bir virgül bile atlamadan ortaya dökmek. Geceler, bıçaklar, kürtajlar, ihanetler, çocukluk cehenneminin hayaletleri. Hastalıklı bir sayıklamaydı bu, beni rahatlatacağına daha da huzursuzlaştırıyordu. Tony, ağırbaşlı bir suskunlukla dinliyor, duygularını hiç açığa vurmuyordu. Benden uzaklaşıyor muydu yoksa?

"Bir zamanlar bale dansçısıydım. Hiç bale gördün mü?"

"Hayır."

"Sana göstereyim."

Sabolarımı çıkarıp, artık serinlemiş kumlarda, kısa bir gösteri yaptım. Sakatlanmadan önceki son solomdu bu, "Silfid" balesinden prelüd.

"Bu Silfid denilen hayali bir yaratığın dansı, su perisi gibi bir şey. Oyuncu, şakacı bir peri, en önemli özelliği kendisine dokunulduğunda ölmesi."

"Mercan gibi."

"Evet, mercan gibi. Sen köpekbalıklarından korkar mısın Tony?"

Yıllardır bu sularda dalan Tony soruma şaşırmıştı. Onlarla defalarca karşılaşmıştı. Köpekbalıkları çoğu zaman insana saldırmazlarmış ama eğer karınları açsa...

"Ansızın saldırır, yerinden bile kıpırdayamazsın. Bir parça koparır, bacağından, sırtından ya da kolunu, olduğu gibi bütün kolunu koparır, uzaklaşır.

Eline aldığı bitkinin yapraklarını hırsla koparıyordu bu arada.

"Gittiğini sanırsın, tekrar gelir. Bir parça daha koparır."

Bir yaprak daha kopardı.

"Artık hiçbir yere kaçamazsın. Oracıkta, öyle beklersin. Ama o tekrar gelir. Bir parça daha."

Bütün yapraklarını yolduğu bitkiyi öfkeyle yere fırlattı.

"Ne zaman biteceğini bilmezsin."

Çocukluğumdan, daha doğrusu on yaşımdan beri, sık sık rüyalarımda köpekbalıklarının saldırısına uğrardım. Beni tam parçalamaya başlarlarken dehşet içinde uyanırdım.

"Başka tehlikeler de vardır denizde, zehirli balıklar, yılanlar. O yılanı, dün yanından geçtiğin yılanı öldürdüm."

İster istemez yüzümü buruşturdum. Yılanın ölümünden ben sorumluydum. Bir kez daha, aynı suçluluk... Tony hemen anladı.

"Eninde sonunda birini sokacaktı, bir insan ölmeden yılan ölsün daha iyi."

"Evet, sanırım."

"Gene de..."

Duraladı, yüz hatları gevşemiş, hüzünlü bir sevecenlikle dolmuştu.

"Gene de, bazen, akşam olduğunda, sudan çıkmayı hiç istemiyorum. Denizin dibinde bir mağaram olsaydı, orada yaşayabilseydim, bir balık gibi. Üşüdüğümde kendimi sıcak sulara bırakırdım."

Birdenbire benden çok uzaklara, ayrı bir evrene gitmişti.

"Bazen geri dönmeyi hiç istemiyorum doğrusu. Bir saat sonra buluşmak için sözleştiğimizde ikimiz de mutsuz ve sarsılmıştık. Umutlar kırılmış, düşler yaprak gibi çürüyüvermişti. Denizin dibinde ne Tony için, ne de benim için bir mağara vardı. Var olsa bile gelip geçici, anlık bir şey olmalıydı.

Akşam yemeğinde ödül töreni yapıldı. En başarılı ve katılımcı öğrencilere verileceğini sandığım ödüller, Prof. Karbel'den hiç ummadığım bir espri anlayışı ile şnorkelle en çok dalana ve en iyi şarkı söyleyene verildi. Üçüncü ve son ödül, sigara içiş üslubundan dolayı Maya'nın oldu. Böylece Prof. Karbel, iki hafta önceki çıkışı için üstü kapalı bir biçimde özür dilemişti ama doğal olarak ben her zamanki gibi yok sayılmıştım. Maya'nın iki hafta boyunca "cici kız" olmak için harcadığı çabaların ödülü, üzerine belli başlı Karayip adalarının isimleri yazılı olan bir tişörttü. Hiç gidemeyeceğim adaların, zihinde yakamozlar yapan sihirli isimleri: Virgin Gorda, Martinik, Porto Riko, Antigua, Barbuda, Trinidad, Tobago...

Törenden sonraki iki saat, lokanta ve kumsal arasında gidip gelmek ve Tony'yi aramakla geçmişti. Sonunda, ondan umudu kesip, kalabalık bir fizikçi grubuyla Kalabaş'a gitmek için sözleştim. Çabucak giyinmiş, otelin barına doğru koşar adımlarla gidiyordum ki gecenin içinden fırlamış Tony'yle burun buruna geldim.

"Nerelerdeydin, saatlerdir seni bekliyorum."

"Özür dilerim, zamanı unutmuşum."

Bunu ikinci kez yapıyordu. Artık onunla belli bir saatte randevulaşmanın faydasız olduğuna karar vermiştim. Zaten o, bizler gibi kol saatinin egemenliğinde yaşamıyordu.

"Bu gece çok güzelsin."

Oldukça kısa, pileli, siyah bir etek ve askılı bir bluz giymiş, Karayip işi, tahta boncuklu kolyemi takmıştım. Tek şık giysim buydu ve çekici olduğumun farkındaydım. Tony'nin gözlerindeki parıltıyı seyretmek, arzusunu iliklerimde hissetmek, garip, sadistçe bir zevk veriyordu. Bir tür intikam zevki.

"Tony, şey, özür dilerim. Bu gece grupla şehre inmek için sözleştim. Sen çok geç kaldın, o yüzden."

Kalabaş'tan söz etmesem daha iyi olacaktı. Bu öğleden sonra, ona geçen cuma gecesinden söz etmiş; ince, uzun boylu bir gençle nasıl dans ettiğimi anlatmıştım. "Bu bir yabancıyla yapılacak dans değil," demişti bozularak.

"Sen nasıl istersen. Ben de evime gideyim bari."

"İskeleye yürüyelim mi? Beş-on dakika vaktim var."

Gettoya doğru, şimdiye kadar defalarca geçtiğimiz yolda yürüyorduk. Önceki gece müzik sandığım şeyin ne olduğunu biliyordum artık, yakınlardaki akaryakıt deposunun gece gündüz kesilmeyen ritmik sesiydi.

"Belki biz de bir gece beraber şehre ineriz. Param olursa."

"Tabii neden olmasın," diye karşılık verdim, ama aslında adada iki gecem kalmıştı.

Okyanusun kapkara sonsuzluğunda tek aydınlık noktada, iskeledeydik. Lambanın beyaz ışığı altında, ıslak tahtalara oturduk.

"Odandan denizin sesini duyuyor musun?"

"Evet."

"Bazen öyle şiddetlidir ki deniz, mercan kayalıklarını patlatacağını düşünürüm. Zaten bir gün okyanus öfkelenecek ve bütün adayı yok edecek. Hiç umursamadan. Çok eski bir öcü alırcasına. Belki de ben sahte bir peygamberim. 'Peygamber' ne demek, biliyor musun?"

Elbette biliyorum, ama onu anlayamıyordum.

"Ben sahte bir peygamberim," diye tekrarladı, daha gizemli, daha buruk bir tonla.

"Üç yıl önceki kasırgada bu adada mıydın?"

"Hayır, Miami'deydim."

Kokain işinde olduğunu tahmin ettim ama çenemi tuttum.

"Buradan gitmeyi düşünüyor musun? Başka bir adaya ya da Amerika'ya? Belki Jamaika'ya dönersin?"

"Jamaika'ya dönemem, asla. Ama yakında, çok yakında buradan gideceğimi hissediyorum.

Ona Karadeniz'den, hırçın ve tehlikeli, tanıdığım denizler içinde okyanusa en çok benzeyen Karadeniz'den bahsettim. Yaşamını Karadeniz'e borçlu bir arkadaşım vardı. Annesi hamileyken, bir fırtınada mahsur kalmış ve sağ kurtulursa çocuğu doğuracağına ant içmişti.

"Türkiye'ye gelirsen dalgıçlığa devam edebilirsin. Sünger filan çıkarılıyor sanırım. Hem oralarda hiç siyahi yok, bütün kızlar peşinden koşar."

Gülümsedi, hoşuna gitmişti bu. Gene de, gülümseyişini bir yağmur bulutu gibi karartan mutsuzluğunu görebiliyordum. Demir parmaklıkların ardında kalmışçasına, çok uzak, hüzünlü gözlerle bakıyordu bana.

Karayipler'deki ikinci ve son cuma gecemdi ve ben gene, kalabalık bir fizikçi grubuyla Kalabaş'taydım. Adını bir Afrika çömleğinden alan, denizden esen sıcak rüzgârlara açık bir terasta bulunan gece kulübü tıklım tıklım doluydu. Herkes alabildiğine şık ve neşeliydi o gece. Adalı kadınlar parlak renkli, tropikal motifli gece elbiseleri giymişler, bol bol makyaj yapmışlardı. Daracık etekleri, samba ve kalipso ritimleriyle ustaca sallanan, yalnızca zenci kadınlara özgü zengin kalçalarını bütün görkemiyle açığa çıkarıyordu. Hemen hepsi de uzun saçlı, sakallı ve güneş gözlüklü olan erkekler de en az kadınlar kadar baştan çıkarıcı dans ediyorlardı ama tehlikeli ve ulaşılmaz bir görünümleri vardı. İçerideki az sayıda beyaz, masalara sinmiş, müziğin ve dansın gerçek sahiplerine bırakmışlardı pisti; içki kadehlerinin ardına sığınıp coşkuyla dans eden çiftleri seyrediyorlardı. Ortalıkta sigara dumanı, alkol, parfüm ve terli bedenlerin kokusundan oluşmuş bir cinsellik bulutu dolanıyordu. Dünyanın bütün gece kulüplerinde az çok buna benzer bir hava vardır, ama burası tropikler ve burada geceler bambaşka yoğunlukta yaşanır. Soğuk iklimlerin dekadan, gösterişçi, metalaştırılmış cinselliğinden farklıdır buradaki cinsellik, çok daha doğal, özgür ve tutkuludur. Bedenin kendisinden gelen bir çağrıdır. Ritme kendini bir defa kaptıran insan, yalnızca çılgınca dans etmekle kalmaz, bedeninin gerçekliğinin de ayrımına varır. Kendi cinselliğini yaşamayı ve kabullenmeyi öğrenir.

İçeri girer girmez onu gördüm. Geçen cuma dans ettiğim o uzun boylu genç, kalabalık pistin ortasında tek başınaydı. Olağanüstü dans eden bunca insan arasında bile, bir bakışta, yalnızca stiliyle tanınabilirdi. Çocukluğumdan beri değişik dansları çalışmış, çok iyi dansçılar seyretmiştim; ama hiç böylesine kusursuzca dans eden birini görmemiştim. Bedeni ritmin görsel bir boyutuna dönüşmüştü, müziğe kendini bıraktığı gibi aynı zamanda ona hükmediyordu. Bütün devinimlerine kişiliğinin damgası vurulmuştu, seçkindi, yetenekliydi, bir panter kadar zarifti. Yirmi beş yaşından daha büyük olamazdı, ama dansı, şimdiden olgunlaşmış bir erkeksiliği, ince ve duyarlı bir sanatçı ruhunu ve gözüpek bir serseriliği ortaya çıkarıyordu. Onunla kesinlikle yeniden dans etmeliydim.

Beni gördüğüne ya da tanıdığına tanıklık edecek hiçbir işaret vermemişti, ama Sten ile dansa başlar başlamaz, tam arkamda olduğunu hissettim. Kalabalıktan yararlanıp kurnaz bir manevrayla Sten'i postalamak hiç de zor olmadı. Arkama döner dönmez kendimi onunla karşı karşıya buluverdim. Usta bir sevgili gibi usta bir dansçı da eşine hemen uyum sağlar ve ne kadar acemi olursa olsun, bu işi çok iyi becerdiği duygusu uyandırır onda.

Bir anda, eşsiz, mükemmel bir uyum içinde, aynı tempoda, hızla sallanmaya başlamıştı kalçalarımız. Giderek cesurlaşıyor, daha baştan çıkarıcı ve çılgınca dans ediyordum. Vücudumda müzikle titreşmeyen tek bir kas kalmamış gibiydi. Kısa eteğim öylesine hızla savruluyordu ki bacaklarım ortaya çıkıyor, bluzumun askıları ikide bir düşüyordu. Masalara yayılmış sarhoş turistlerin ve hiç kuşkusuz fizikçilerin, hatta bana kaçamak bakışlar fırlatan yerlilerin dikkatlerinin benim üzerimde yoğunlaştığının farkındaydım. Umursamıyordum. Kendimi tamamen ritme ve dans eşime bırakmıştım. Sonunda, karşı konulmaz bir çekimin etkisiyle, kalçalarımız birbirine yapıştı. Birbirlerinden bir an bile kopmadan, baş döndürücü bir hızda ritmik daireler çizerlerken, bedenlerimiz bir birleşiyor, bir ayrılıyordu. Yumuşak ama güçlü ellerle omuzlarımı bazen kendine doğru çekiyor, bazen hafifçe uzaklaştırıp göğüs kafesimi tutuyor ve kendisininkine benzer devinimler yapmayı öğretiyordu. Bazen de boynumu hafifçe okşuyor ya da askılarımı düzeltiyordu.

"Çok güzel dans ediyorsun. Dansı çok seviyorsun," dedi bir ara.

İkimiz de ter içinde, soluk soluğaydık ama dansı da, birbirimizi de hiç bırakmıyorduk.

"Seni seviyorum."

"Sevgiden söz etmenin sırası mı?" diye karşılık verdim, nedenini hâlâ anlayamadığım bir kabalık ve inatçılıkla.

"Beni istemezsen benimle dans edemezsin."

Ritim çıldırtıcı, isyan ettiriciydi; bir burgaç gibi çekip yutuyordu insanı. Artık ellerinin göğüslerimde dolaşmasına ses çıkarmıyordum. Kendi ellerim de denetimimden çıkmış, onun kalçalarına kaymıştı. Daracık, çıkık, sert kalçaları avuçlarımın içinde, bedeninin öteki bölümlerinden bağımsızlaşmışçasına, inanılmaz bir kıvraklıkla gidip geliyordu. Ertelenmiş kadınlığıma tılsımlı bir ilaç gibiydi bu saf ve güçlü erkeksilik. Gülümsemesini seyrediyordum hep, kalın dudakları tam göz hizamdaydı. Uyarılmış bir erkeğin gülümseyişiydi bu. Beni şiddetle istiyordu. Kapkara iki aleve dönüşmüş gözlerine bakamıyordum bile.

Ani ve çok güçlü bir cinsel çekimin ötesinde bir şeydi yaşadığım, içsel bir devrimdi. Bedenim yıllarca sürmüş bir kırgınlığa son vermiş, kendisiyle barışmıştı. O güne kadar seviştiğim erkeklerin hiçbirini gerçekten arzulamamış olduğumu kavrıyordum. Gerçek arzu buydu işte, yakıcıydı, tehlikeliydi, ölümün kendisi kadar büyük ve gerçekti. Asla susturulamayan bir çığlıktı. Bedenim isyan etmişti, bir Türk kadınının yaşadığı baskılara, fizikçi olmanın, entelektüel olmanın ağır kafeslerine. Bundan böyle kahkahalarla gülmek, bağıra bağıra doyuma ulaşmak ve çocuk doğurmak istiyordum. Kendime yasakladığım bütün her şeyi, hepsini birden, aynı anda istiyordum.

Bir ara biraz dinlenmek ve serinlemek için masama döndüğümde, o da hemen yan masaya oturmuş, oradakilerle göstermelik bir sohbete girişmişti. İlk fırsatta bana döndü, elimde sigaram, maske gibi donuk bir yüzle bunu bekliyordum zaten, tanıştık. Bu adada doğmuştu ama kendisini Afrikalı diye tanımlıyordu. Biri Amerikalı, öteki Afrikalı iki adı vardı. Yalnızca ikincisini anımsıyorum, Faray. Nedense Müslüman olup olmadığını sordum.

"Ben Rasta'yım."

"Rasta"nın "Rastafari"nin kısaltılmışı olduğunu bilmediğim, hatta Rastafari hareketine ilişkin bir bilgim olmadığı için bunun bir mezhep olduğu sonucuna vardım.

"Bak saçlarıma."

Deri kasketinin altına topladığı uzun saç örgülerinden birini çıkardı.

"Dokun."

Emrine uyup yavaşça saçını tuttum ve sıcak metale dokunurcasına hemen bıraktım. Kasketinden birkaç örgü daha çıkardı.

Omuzlarına dek inen örgüler, ince, elmacıkkemikleri çıkık yüzünü ve derin bakışlarını iyice belirginleştirmişti.

"Dokun, dokun. Daha çok."

Büyülenmişçesine saçlarını okşamaya başladım, arzunun sıcak selamını bacaklarımda hissediyordum. Masadaki fizikçilerin hepsinin beni izlediğini fark edince toparlandım.

Ter içinde olmasına karşın ceketini hiç çıkarmıyordu Faray. Dans sırasında belinde hissettiğim nesne silah olmalıydı. Hiç korkutmuyordu bu beni, tam tersine, üzerimdeki etkisini, bir girdabı andıran güçlü çekimini biraz açıklıyordu.

"Tekrar dans edelim mi?" diye sordu.

Yeniden dans ettik, bedenlerimiz yeniden birleşti, yeniden birbirimizi çılgınca arzuladık. Artık iyice sarhoş olup pisti terk etmiş müşteriler için, bu birbirini hiç bırakmayan iki ince, genç bedenin, kolay unutamayacakları bir cinsellik simgesi oluşturduğunu biliyordum. Dansımız hiç soyunmadan gerçekleştirilen bir sevişmeydi, hatta gerçek bir sevişmeden daha tutkulu ve güçlüydü.

Yorgunluktan yarı baygın bir şekilde masaya ve yarıda kalmış romlu kokteylime döndüğümde, bizim grup otele gitmek için toparlanıyordu. Onlarla gitmek ya da kalmak arasında bocalarken, oldukça toplu, genç bir siyahi kadının piste çıktığını ve orada hâlâ, tek başına dans eden Faray'a bağırmaya başladığını gördüm. Faray'ın sürekli alttan aldığı uzunca bir tartışmadan sonra karşılıklı samba yapmaya başladılar. Kadın bana nispet yaparcasına, olağanüstü bir kıvraklık ve çekicilikle sallıyordu dolgun kalçalarını, doğrusu benim dansım onunkinin yanında Kuğu Gölü balesinden bir solo gibi kalmıştı. Bu cinsellik dolu, iri kalçaları seyrederken duyduğum aşağılık kompleksini anlatamam. Tek avuntum, ondan epeyce uzakta duran ve benden yana hiç bakmayan Faray'ın eski coşkusundan eser kalmamasıydı. Artık dans etmiyor, zoraki bir şekilde yerinde sallanıyordu. Bir anda kararımı verdim, masadan fırlayıp, taksi-minibüse binmek üzere olan gruba yetiştim.

Dönüş yolunda yanımda oturan Tim, içkiden dili dolaşarak sordu.

"Senin zenci erkeklere bir zaafın mı var?"

Hiç cevap vermeden sertçe ona doğru döndüm.

"Bu kaçıncı böyle. Kumsalda dolaştığın o kabuk satıcısı, yat gezisindeki rehber, Frederickstedt'teki, şimdi de bu."

Doğrusu gözlem yeteneğine hayran kalmıştım, adada tanıştığım siyahi erkeklerden birini bile atlamamıştı. Ne de olsa bilim adamıydı!

"Frederickstedt'teki bana uyuşturucu satmaya çalışıyordu, Faray'la da yalnızca dans ettim. Tony, kabuk satıcısı, benim arkadaşım. Konuştuğum bütün erkeklere zaafım olduğuna mı inanıyorsun, yoksa zencilerle cinsellik dışı bir ilişki kurulamayacağına mı?"

Tim'e hesap verdiğim için bugün hâlâ pişmanım. Şimdiki aklım olsaydı, "Evet, çünkü zenciler yatakta size fark atıyor," der, geçerdim. Böylece de, ömrü boyunca cinsel gücünden kuşkulanmasını, gördüğü her siyahi erkekle kendini kıyaslamasını kolaylıkla sağlayabilirdim. Doğrusu kabalığı, cinsiyetçiliği ve ırkçılığı ile bunu çoktan hak etmişti. Kadınları cinselliklerinden dolayı yargılamaya kalkan maçoları, kendi silahlarıyla vurmak çok zevklidir. Irkçılara, ayrımcılara karşı da bu yöntemi öneririm.

Otele varınca, sarhoş ve coşkulu grubumuz hızını alamayıp, içmeye kumsalda devam etti. Tropikal iklimde geçen iki haftada fizikçi topluluğu, güneşin altında kalmış denizanası gibi yavşamış, vıcıklaşmıştı. Eninde sonunda hepimiz mantıklı, kuru akademisyenlerdik; azıcık özgürlük rüzgârı bizi alabora etmeye yetmişti. Kimisi banklarda sızıp kaldı, kimisi bağıra çağıra şarkı söyledi; Maya ile ben kumsalda limbo yaptık. Sabaha karşı, hâlâ ayakta kalmayı başarmış olanlar, çırılçıplak soyunup denize atladılar. Geceleri yüzmek, köpekbalığı ve diğer tehlikeler yüzünden kesinlikle yasaktı; üstelik çoğumuz yüzemeyecek kadar sarhoştu. Hatta Tim az daha boğuluyordu ve Allahtan onu kurtarma görevi benim üzerime kalmadı. Sağlık durumum yüzünden, şimdiye dek bir kez olsun gece denize girmemiştim ama Maya'nın da soyunduğunu görünce daha fazla dayanamadım. Alay edilmeyi göze alarak odama koştum ve mayomu giydim. O gece kulüpte, benim bir "teşhirci" olduğuma karar verenler de sanırım hayalkırıklığına uğradılar.

Deniz şaşılacak kadar sıcaktı ve karanlıkta yüzmek hiç de korkutucu değildi. Bir anne rahmi kadar tanıdıktı okyanus ve bir sevgilinin elleri kadar yumuşak.

Simsiyah sularda yüzdükçe, geri dönme isteğim kayboluyordu. Uzaktaki, neredeyse sonsuzluktaki iskeleye gitmeyi denemeliydim. Tony'ye gitmeliydim. Oraya dek yüzmeyi başarırsam, onu orada, ayrıldığımız noktada bulacaktım. Beni bekliyor olmalıydı. Kabuk Adam'ı özlemiştim. İnsan, kaybettiği bir bacağı ya da kolu nasıl özlerse öyle. Belkemiğim kırılmışçasına acı çekiyordum. Beni öldüreceğini bilsem bile yine de onu aramalıydım. Tony! Kabuk Adam! Ansızın, karanlık sularda yapayalnız olmanın dehşetiyle aklım başıma geldi. Tropikal bir yağmur gibi birdenbire bastıran ölüm korkusuyla, geriye doğru hızla yüzmeye başladım. Artık yeterince ayılmıştım ve bu yaşadıklarımın anlık çılgınlıklar değil, derin bir içsel dönüşümün belirtileri olduğunu biliyordum. Bu zincirleme tepkimenin tetiğini çeken de Kabuk Adam'dı, ona duyduğum aşktı. Ağlamaya başladım.

Cumartesi sabahı. Adada geçirecek kırk sekiz saatim kalmıştı. Son iki gündür hayatımın ritmi öylesine hızlanmıştı ki, artık günlerle değil, saatlerle yaşıyordum. Her yeni an beklenmedik bir olayın, bir değişimin, bir fırtınanın taşıyıcısıydı. Bambaşka bir zaman ölçeğinde gibiydim; bir filmin zaman ölçeği örneğin. Karayip öyküm kesinlikle bitmemişti. Şu kırk sekiz saat içinde yeni insanlar, yeni temalar, yeni ikilemler ortaya çıkacaktı. Her şeyden önce, mutlaka Tony'yi bulmalıydım. Yalnızlığımın altın anahtarını kumlara gömen Kabuk Adam'ı.

Kumsal her sabah olduğu gibi bomboştu. Fizikçiler seminerlere gitmişlerdi ya da belki hâlâ uykudaydılar. Benimse artık değil seminere, kahvaltı için restorana yürüyecek gücüm bile kalmamıştı. Derslerin yoğunluğu, sıcaklık ve alkol ile birleşince, bedensel olarak hepten tükenmiştim. Günlerdir doğru dürüst yemek yemiyor, sigaradan bile tat almıyordum. Kısa, umutsuz bir yüzme denemesinden sonra kendimi bir banka fırlattım. Bir parça güç toplamaya çalışıyor, boş bakışlarla iskeleyi, Tony'nin yolunu gözlüyordum.

İlk önce paçavralar içinde, saçları sakalları birbirine karışmış, iki beyaz adam gelip tepemdeki hindistancevizlerini toplamaya başladılar. Biri ağaca tırmanmış, palmiyeleri hızla sallarken; sağ kolu alçılı olan öteki, bu ağaçlara çıkmanın zorluğundan yakınıyordu. Kolunu ağaçtan düşüp kırmıştı besbelli. Dişleri öylesine haraptı ki, akşamdan kalma hassas midemle, yüzüne bakmakta zorlanıyordum. Canlı bir yoksulluk anıtıydı adam; ağzından yayılan koku, açlığın, diri diri çürümenin kokusuydu.

Hemen sonra, sepet satıcısı Thomas, gettonun oralardan bir yerden çıkıp geldi.

"Tony'yi gördün mü?"

"Rasta'yı mı?"

Tony'nin de Rasta olduğunu işte o an öğrendim. Bu Rastaların nasıl tanındığını, uzun saç örgüleri dışında herhangi bir işaretleri olup olmadığını merak ediyordum. Tony, yanımdayken beresini hiç çıkartmamıştı, saçlarını bir kez bile görmemiştim.

"Sen Rastaları çok seviyorsun galiba."

"Benim ülkemde Rasta yok, ilk kez burada gördüm onları."

"Onun için bu kadar düşkünsün Rastalara. Benim gibi aklı başında biriyle ilgilenmiyorsun."

"Aklı başında" ile kastettiği, kendisinin hiç yasadışı işler yapmadığıydı herhalde. Oysa bu adada tanıdığım onca insan içinde, beni en çok tedirgin eden de Thomas'dı.

"Niye, benimle beraber olmuyorsun? Bırak Tony'yi. Ben sana daha iyi davranırım."

Dünkü konuşmanın tıpatıp aynısıydı ve ben, bugün buna iki dakika bile katlanamıyordum. Kahve molasına giden fizikçilerin "Karayip Hatırası" sepetler almak için çevremize üşüşmelerinden yararlanıp odama döndüm. İkinci seminer başlayana değin ortalıklarda görünmezsem, hem kalabalıktan, hem de Thomas'dan yakayı sıyırırdım. Unutulmuş Thomas Bernhard romanımla, "air-condition"lı odamda uzandığımda uyuyakalmışım. Bataklıkta can çekişmeye benzer bir uykuydu bu ve gördüklerim hiç de havalandırmalı düşler değildi. Kızıl kumlarla kaplı, çöl rüzgârlarının hiç kesilmediği bir mercan adasındaydım. Tek başımaydım. Uzun yıllar süren yalnızlığıma alışmıştım. Bir gün, gelgit zamanı, birisi, köpekbalığı-insan karışımı bir yaratık çıkıveriyordu okyanustan. Bin yaşında olduğunu söylüyordu. Onunla tam sevişmeye başlıyordum ki Azrail olduğu kuşkusuna kapılıyordum. Duyduğum dehşet ve tiksintiye karşın sevişmeyi bir türlü bırakamıyordum. Bedensel bir zevk alıyordum almasına ama ondan kopamamamın asıl nedeni tuhaf, sarhoş edici bir çekimdi. Midem bulanıyordu. Uyandığımda, boşalıp boşalmadığımdan emin değildim. Cinsel yaşantım fiilen bittiğinden beri, pek az, yani sandığımdan çok daha ender de olsa buna benzer düşler görüyor ve her seferinde nedensiz bir utanç duyuyordum. Kendimi yaşlı ve yıpranmış hissetmeme neden oluyorlardı.

Saat yarım. Öğle yemeği. Ekşimiş bir mide ve kütük gibi bir kafayla lokantaya sürüklenme zamanı. İçtimaya giden bir asker bile benden daha coşkulu olurdu herhalde. Akşama dek aç kalma tehlikesi olmasa odamdan kolay kolay çıkmazdım ama bu sıcakta, yarım kilometre ötedeki süpermarkete yürüyüp öteberi alma düşüncesi, Sahra'yı deveyle geçmekten daha gerçeküstüydü. Tropiklerde, güneş iyice alçalmadan elli metre bile yürüyemiyordum.

Keskin gün ışığında, gözlerim çalılıklara doğru kayarcasına ilerleyen üç renkli bereyi seçti. Tony! İncecik bedeni, sağ elindeki iki ağır deniz kabuğuyla yana eğilmiş, gettoya doğru hızla ilerliyordu. Koşmaya başladım. "Koşmak" sözcüğü insanın aklına süratli, çevik bir atleti getiriyor ama benim koşuşum bundan çok farklıydı elbette.

"Tony! Tony!"

Kavurucu güneşin altında, ağır sabolarımla, koşmaya benzer bir şey yapıyordum ama aç ve yorgun bedenim kısa zamanda tükendi. Tony bir ara durdu, elindeki kabukları yere koyup kısa bir süre dinlendi. İşte o an, tekrar bağırsaydım, beni kesinlikle duyardı. Yapamadım. Yeniden koşmaya başladım ama ona yetişemedim. Çalıların arasında gözden kayboldu. Ben de, tıpkı önceki gece yaptığım gibi, yarı yoldan geri döndüm.

Öğleden sonra, fizikçiler için hazırlanmış son paket tur olan ada turu ile geçti. Aslında büyük gruplar için hazırlanan, rehber eşliğindeki yapay gezilerden nefret ederim ama Karayipler'de görüp göreceğim bir otel odası manzarasından fazla bir şey olsun diye katıldım. Müzeye dönüştürülmüş eski bir şekerkamışı plantasyonunu, botanik bahçesini ve adanın minyatür cangılındaki Orta Amerika'ya özgü bir ağaç olan mahogani (maun) ağacının işlendiği bir atölyeyi kapsıyordu gezi. Plantasyonda, gözlerimin ısrarla aradığı kölelik izleri, büyük bir ikiyüzlülükle yok edilmişti. Sanki yüzlerce yıl, tam burada, insanın insana karşı işlediği en ağır suç işlenmemiş, en korkunç trajediler yaşanmamış gibi. Rehberimiz yaşlı, sert yüzlü bir zenci kadındı, hani şu yüzünde bir tarih yazılı, çelik gibi kadınlardan biri. Atalarından bazılarının bu plantasyonda köle oldukları gibi garip bir düşünceye kapılmıştım (belki de Tony'nin annesiydi), ama bize kölelik hakkında tek bir söz bile etmedi. Plantasyonun Danimarkalı sahiplerinin sıkıcı hayatlarını bütün ayrıntılarıyla anlattı onun yerine. Gündüzleri komodin işlevi gören on sekizinci yüzyıl tahta sandık, geceleri oturak olarak kullanılırmış örneğin. Botanik bahçesinde, yüzlerce tropikal bitkiyi teker teker inceleyip kökenlerini ve özelliklerini dinledik. Günümüzün moda deyimiyle, bilim adamlığını bir meslek değil de bir yaşam tarzı olarak benimseyen fizikçiler tatmin olmuşlardır sanırım ama ben çok sıkıldım. Apaçi filmlerindeki Meksika dekorunu anımsatan kaktüs bahçesinde bir fotoğraf çektirmiştim. Geniş hasır şapkam ve uykulu gözlerimle, gerçekten de tekilayı fazla kaçırmış bir Meksikalıya benziyorum. Cangılın orta yerinde bir tepeye kurulmuş, cila kokulu mahogani atölyesini belleğime kazıyan ise Manuel oldu. İçeri girdiğimden beri beni izleyen bir çift esrarengiz göze gülümsediğimde hiç çekinmeden yanıma gelmişti. Açık renk tenli, uzun boyluydu, gözleri Uzakdoğulularınkini andırırcasına derin ve çekikti. Başına bağladığı beyaz tülbentin altından uzun saç örgüleri sarkıyordu. Porto Rikolu olduğu için hayatının ana teması yabancılık olmuştu.

"Hep bu adalılar gibi olmak istedim. Onlar kadar..."

Bir an düşünmek için durduğunda, aradığı sözcüğü söyledim.

"Onlar kadar siyah mı?"

"Evet, evet," diye onayladı. Açıksözlülüğüme şaşırmıştı.

Beyazlardan ve kendi kanındaki beyazlıktan nefret ettiğini sezmiştim. Şimdiye dek hiçbir işte tutunamamış, en fazla birkaç ay içinde kovulmuştu. Ağaç işçiliğinden hoşlanmıştı oysa, en azından güneşin altında çalışmak zorunda değildi ve ormanı, ağaçları seviyordu. Hemencecik kaynaşıvermiştik, çünkü ikimiz de tutunamayanlardan, ömür boyu hep "dışarıda" kalanlardandık. Türkçe bir kelime öğrenmek istedi, "déjà vu"nün karşılığını sordu. Bildiği tek Fransızca sözcük buymuş.

"Déjà vu, çok güzel bir sözcük ama ne yazık ki Türkçe'de karşılığı yok."

Bir kâğıdın üzerine "merhaba" yazıp uzattım. Bunu hep saklayacağını, bir gün adaya tekrar gelirsem onu mutlaka aramamı söyledi. Gidenler hep dönermiş.

Akşama doğru, bizi bir saatlik bir piknik için adanın batısında, İstanbul'un halk plajlarını andıran kalabalık bir kumsala götürdüler. Adanın bu tarafı hiç rüzgâr almadığından, sıcaklık, güneşe daha yakın bir gezegene gitmişçesine artmıştı. Gölgesine sığındığım çalılıklarla deniz arasındaki yolu aşmak, benimkinden çok daha fazla bir irade ve dayanıklılık gerektiriyordu.

"Bence sen en iyisini yapıyorsun."

Amerikalı Peter'dı bu; küçük gölgeliğe o da sığınmış, beni enikonu toparlanmak zorunda bırakmıştı. Acaba neydi en iyi yaptığım şey?

"Fizikçilerden uzak durmanı kastediyorum. Ben de öyle yapmak isterdim ama doğrusu cesaret edemiyorum. Biliyorsun burada sürekli göz hapsindeyiz. Her davranışımız not ediliyor. Chicago'da, yalnızca sanatçılardan oluşan bir arkadaş grubum var, laboratuvardakilerle en ufak bir kişisel ilişki kurmuyorum. Öykü yazdığını duydum. Doğru mu?"

Açıkta kalan sol bacağımı ve omzumu gölgeye çekme uğraşım boşunaydı, havluya sarındım.

"Evet, amatörce."

"Bence yazarlık sana daha uygun. Herkesle, her düzeyden insanla ilişki kurabiliyorsun. Bu bir yazar için çok önemli bence."

Günlerdir izlendiğimi gösteren bir kanıt daha çıkmıştı. Oysa adını bile yeni öğrenmiştim onun.

"Fizikçilerle ilişki kuramıyorum ama."

"Boş ver, hiç gerek yok. Bizler pek ilginç değiliz."

Üçüncü bir kişi, kıvırcık saçları ve aşırı kısa boyu yüzünden kendisine yakınlık duyduğum Kanadalı bir kuramcı da küçük gölgeliğe gelmişti. Edebiyatı çok sevdiği söylenirdi ama teorik fizikten başka bir şeyden söz ettiğini duymamıştım. Bir metrekarede üç kişi olunca daha fazla dayanamadım ve denize girmek için kalktım. Bu arada onlar çoktan genel görelilik konusunda hızlı bir sohbete koyulmuşlardı.

"Bugün de hep seni aradım."

"Ben de. Hatta sabah bir ara izledim seni ama yetişemedim. Arkandan bağırdım, duymadın."

"Sen mi? Sen beni mi izledin?"

"Evet, elinde deniz kabukları vardı, Proje'ye gidiyordun. Hatta, tam iskelenin orada durup bir an dinlendin. Kabukları yere koydun."

Sonunda inanmıştı bana.

"Vay be, demek sen beni izledin ve ben duymadım! Yazıklar olsun!"

Piyangoda büyük ikramiyeyi kıl payı kaçırmış biri edasıyla konuşmuştu. Gene aynı yerde, getto ve otel arasındaki gizli köşemizde marihuana içiyorduk. Birlikteliğimizin bir ayini haline gelmişti bu büyücü bitki; Tony ile olduğu kadar, Karayipler'le de kan bağımdı. Güneş az önce batmıştı, alacakaranlıktaydık. Kabuk Adam'la birlikte olduğum için öyle mutluydum ki.

"Otu nerede yetiştiriyorsun?"

"Bu bir sır."

"Özür dilerim. Sorumu geri aldım."

"Nasıl yaparsın bunu? Sorulmuş bir soruyu nasıl geri alırsın?"

Benzersiz sorular bulmakta üstüne yoktu Tony'nin.

"Eee... sen beni yanıtlamadın, ben de sorumu geri aldım. Hiç sormadığımı varsayabiliriz."

"Ama ben seni yanıtladım, bunun bir sır olduğunu söyledim."

Haklıydı, bir satranç oyununda teslim oluyormuşçasına ellerimi iki yana açtım. O upuzun, yoğun bakışlarından biriyle yüzümü inceledi.

"Sen," dedi birdenbire, "benim yıllarca birlikte yaşayabileceğim bir kadınsın."

Ne söyleyeceğimi bilemedim. Okyanusun ortasındaki bu küçücük adada kurabileceğim hayatın belli belirsiz hayali geçti gözlerimin önünden. Sabahları okyanusta yüzerek, mercanların arasından kabuk çıkararak, kuytu köşelerde marihuana içerek akıp giden bir hayat. Tropikal günbatımlarında sevişmek, şiir yazmak; giderek incelen, dinçleşen, esmerleşen bedenim; her gece dans etmek; adalılar gibi çömelmeyi, ağaca tırmanmayı, dövüşmeyi öğrenmek, turistlere deniz kabuğu satmak, melez çocuklar doğurmak... Geçmişimi, köklerimi, yaldızlı gelecek hesaplarımı yitirmek. Uzun, sıcak günler boyunca unutmak. Kendimi unutmak ve sonra yeniden bulmak. Şimdiye kadar yaşadığım, daha doğrusu, vitrinden seyrettiğim hayattan ve avuçlarımda tuttuğum kül renkli gelecekten belki çok daha güzel. Ama böyle bir serüvene atılmak, bir başkasının yaşamını ödünç alırcasına kendiminkinden vazgeçmek için çok fazla cesarete gereksinimim vardı. Sahip olabileceğimden çok daha fazlasına.

"Sana bunu getirdim."

Küçücük, çok zarif bir deniz kabuğuydu uzattığı, Tony'nin göğsündekilerin eşi. Bugün sadece tek bir kolye takmıştı.

"Öbür kolyene ne oldu?"

"Koptu."

Beceriksiz bir yalan. İki kolyesinden birini bana armağan ediyordu ve bunu belirtmeyecek denli yüce gönüllüydü. Beresi ve deniz kabuğu kolyeleri onun en çok değer verdiği, varoluşunun bir parçası olmuş nesnelerdi. Bir annenin çocuklarıyla, bir yazarın kitaplarıyla bağı gibiydi onlarla ilişkisi. Benim için de yaşamsal önemi olan, kendi simgem haline getirdiğim bir nesne arıyordum, ona hediye etmek için. Yoktu böyle bir şey.

"Benim sana verebileceğim hiçbir şey yok," dedim kederle.

Bir zamanlar delicesine âşık olduğum birinin hediye ettiği tahta saplı Çekoslovak çakısını hatırladım. İki yıldır yanımdan ayırmıyordum. Deniz kabuğuna karşılık bir bıçak pek uygun düşmüyordu doğrusu. Üstelik yazar bendim, katil de oydu!

"Bir şey vermen gerekmiyor ki."

"Bundan böyle ikimizde de aynı kolye olacak."

Belki çocukça, "ucuz duygusallık" deyip burun da kıvırabilirsiniz ama o anda ağlayacak denli duygulanmıştım. Kendimi Karayipler'den, Atlantik Okyanusu'nun diplerinden çıkıp gelmiş bir deniz kabuğu ile karlı İstanbul sokaklarında düşledim. (Aynı bu öyküyü yazdığım gün gibi!) Kalın kazakların, kaşkolların, paltonun arasına sinmiş, küçücük, bembeyaz, yabancı ve ürkek bir deniz kabuğu. Tony kim bilir nerede olacaktı o zaman? Hangi adada, hangi kumsallarda, hangi denizlerin dibinde?

"Hiç kar gördün mü?"

"Evet. New York'ta, Brooklyn'de. İlginçti, evet ilginç bir şey."
"Tony, sen Rasta mısın?"
Çok şaşırmıştı. Beresini ilk kez çıkarıp bana uzattı. Saçları kısacıktı.
"Beremi görmedin mi?"
"Evet ama senin uzun saç örgülerin yok ki."
"Eskiden vardı, dalmaya başlayınca kesmek zorunda kaldım. Suyun altında çok zor. Böyle bir bere takabilir misin?"
"Bilmem ki. Bu sıcakta takamam herhalde."
Onu da bana vermesinden korkuyordum, bana o kadar çok şey veriyordu ki. Cömertliği, benim gibi ne almayı ne de vermeyi doğru dürüst beceremeyen biri için ezici bir yüktü. Gelecekte, Tony'nin armağanlarını sağa sola gururla göstermek, yaşadığım "egzotik maceranın" kanıtları olarak sunmak kolayca yapabileceğim bir alçaklıktı. "Karayipler'de gizemli bir katille yaşanan aşk." İşte böyle bir başlık koyup satışa sunabilirdim Tony'yi ve bu da korkunç bir ihanet olurdu. Belki, bu öyküyü yazarak bile ona ihanet ediyorum ama bir yandan da bir borcu ödüyorum. Kabuk Adam'ın gerçeğini bütün boyutlarıyla yakalayamam, buna girişmedim bile, ama onun imgesini, bendeki imgesini yeniden, dürüstçe kurmaya çalışmak zorundaydım. Kendi hayatımın derinliğini bulabilmek için zorunluyum buna, çünkü Kabuk Adam yaşamımın en paha biçilmez, tılsımlı, olağanüstü armağanı. O bu öyküyü asla okuyamayacak, (keşke okuyabilseydi!) ama yazıldığını bildiğine eminim. Beni tanıdığı anda sezmişti onun anlatıcısı olacağımı.

Havanın çabucak kararması, her akşam olduğu gibi gene o baş belası akşam yemeği yükümlülüğünü anımsattı. Yıllardır üç öğün yemekten vazgeçmiştim, karnım ne zaman acıkırsa bir şeyler atıştırıyordum. Bu yüzden belli saatlerde lokantaya koşma zorunluluğu bile başlı başına bir eziyetti. Üstelik Tony'yi bir işadamına özgü yoğunluğu olan programıma sıkıştırmakla, vardiya işçisi gibi belli saatlerde gelip belli saatlerde gitmesini söylemekle duyarsız ve kaba davrandığımın farkındaydım. Boş vakitlerimde beni eğlendirecek bir hobi, bir pazar bulmacası değildi Tony. O bilmiyordu ama hayatımın çekim merkezi olmuştu, her şey bir girdabın içindeymişçesine onun çevresinde dönüyordu. Birlikte geçirdiğimiz anlar, içinde mavi şimşeklerin çaktığı kristal tanelerivdiler. Gene de gündelik programımı değiştirmekten, seminerlere, fiziğe boş vermekten acizdim. Sonuçta Karayipler'de, dört yıldızlı bir otele hapsedilmiş bir mahkûmdum, boğaz tokluğuna çalışan bir bilim işçisi. Bir saat sonra gelmesini sıkı sıkı tembihledim, bu geceyi mutlaka birlikte geçirmeliydik. Kolumu dürttü.

"Bak, gece bulutu geliyor."

Gökyüzünün yarısı, ortasından bıçakla kesilmiş gibi aydınlıkken, öteki yarısı kapkaraydı. Karanlık, bir bulut biçiminde gelip gün ışığını içine çekiyordu, bir canavarın kurbanını yutuşu gibi. Duman gibi, hızla yayılıyordu gece. Hiç, ama hiç böyle bir şey görmemiştim.

"Şimdi anladım. Buralarda gece gerçekten de bir bulutla geliyor. Belki bir gün gündoğumunu da izlerim, sabah bulutunu."

Biliyordum oysa; sabah bulutu benim hayatıma hiç gelmeyecekti. Belki bir başkasına, bir sonrakine.

Akşam yemeği biteli çok olmuş, fizikçiler dağılmıştı. Kimisi tekrar Kalabaş'a gitmişti, kimisi adanın henüz keşfedilmemiş gece kulüplerine, en düzenliler ise odalarına çekilmişti. Ben bekliyordum; zincirleme sigara içiyor, restorandan kumsala, kumsaldan arka bahçeye, oradan da tekrar restorana dönüyordum.

Bu döngüye dayanamaz hale gelince de, odama çıkıp kumsalı gözlüyordum. Bir ara iskeleye gitmeye karar verdimse de çalılıkların arasına gizlenmiş Thomas'ı fark edince vazgeçtim. Benim Tony'yi beklediğim gibi, o da birini, büyük olasılıkla beni bekliyordu. Karanlık, ıssız kumlukta Thomas'la karşılaşma korkusu beni otelin sınırlarına mıhlamıştı. Bir kişi, tek bir kişi olsaydı beraber yürüyebileceğim. İkinci bir ben daha, örneğin.

Havuzla lokanta arasındaki kısa, aydınlık yolda belki bininci turumu atıyordum ki John'a rastladım. John, otelin deniz malzemeleri kiralayan dükkânını işleten genç Amerikalıydı, para kazanmak için bazı geceler bekçilik de yapıyordu. Boyu hemen hemen iki metreydi ve aşırı zayıftı, gösterişli üniformasıyla kurşun askerleri andırıyordu. Mısır sarısı saçları, bahriyeliler gibi kısacık kesilmişti. Küçük ve çiğ mavi gözleri, Kızılderilileri andıran bir burnu vardı. Epeyce içkili olduğum bir öğleden sonra, sırf can sıkıntısı yüzünden onunla sohbet etmiştim. Utangaç ve içedönük olduğunu, ilgimi çekecek hiçbir özelliği bulunmadığını hatırlıyordum.

"Benimle iskeleye kadar yürür müsün?"

"Şimdi nöbetteyim. Bu saatte kumsalda yürümek çok tehlikelidir üstelik. Kesinlikle denememelisin. On beş dakika sonra işim bitiyor. Bir şeyler içmek ister misin?"

Öylesine çekinerek, kızara bozara sormuştu ki, neredeyse sadece ona acıdığım için kabul ettim. Ayrıca Karayipler'deki son cumartesi gecemdi, vakit uyumak için çok erkendi ve Tony'den umudumu kesmiştim. Yarım saat sonra, adanın beyaz sakinlerinin devam ettiği barları dolaşmaya başlamıştık. Hepsi sıkıcı, iç karartıcı yerlerdi, kovboy filmlerindeki küçük kasaba barlarını andırıyorlardı. Tropiklerde olduğunuzu hatırlatan birkaç ayrıntı dışında tabii, palmiyeler, deniz kabukları, bambu sandalyeler, romlu kokteyller, vb. Adanın yalıtılmış ve ayrıcalıklı Amerikalıları, memleket özlemini unutmak için buralarda içiyor, birbirinden sıkıcı, birbirinden tekdüze oyunlar oynayıp Kareoke denilen o korkunç icatla eğleniyorlardı. İstanbul'daki dernek lokallerine benzeyen bu ortam, Kalabaş'ın çılgın geceleriyle taban tabana zıttı. John, güzel bir kadınla çıktığını herkese göstermek istercesine, beni bir bardan diğerine götürüyor, sürekli içki ısmarlıyordu. Benimle görünmekten gururlandığını sezdim ama aynı zamanda eziklik de duyuyordu; elleriyle çalışan bir erkeğin, fizikçi bir kadın karşısında kapıldığı yersiz duyguydu bu. İki kere içkisini döktü, göz göze geldiğimizde de fark edilir bir biçimde kızarıyordu.

"Sizin grupta üç güzel kız var. Önceleri üçünüzü birbirine karıştırıyordum."

Üçüncü birasını bitirmiş, dili çözülmüştü. Öteki iki kızın kim olduğunu anlamıştım. Biri İtalyan fizikçilerden birinin sevgilisiydi, ikinci ise Brezilyalı oda arkadaşım.

"Ama sonraları seni ayırt etmeye başladım. Çünkü sen hep yalnızsın."

Al işte, yalnızlığımı fark eden biri daha! Seksen kişilik bir grupta bile bu özelliğimle ayırt edildiğime göre, hem de otelin gece bekçisi tarafından, durumum umutsuz, hatta traji-komikti. Yavaş yavaş sarhoş olmaya başladığımdan, gülmemi güçlükle bastırabiliyordum. John'un çekingenliği de beni müthiş eğlendiriyordu. Aslında saf, kirlenmemiş bir insan izlenimi uyandırmıştı bende, yani tamamıyla sıkıcı biri. Onu Kalabaş'a gitmeye razı ettiğimde –nedense hiç istemiyordu– saat ikiyi bulmuştu.

Bu saatte Kalabaş hızını epeyce kaybetmişti, dans etmekten yorulmuş ve alkol duvarını aşmış çiftler masalara çekilmişlerdi. Buraya gelişimin gerçek nedeni olan Faray ortalıkta görünmüyordu. Fizikçiler de, aşırı sarhoş olup grubu kaybeden Sten'i arkalarında bırakarak otele dönmüşlerdi. Sten'e rastladığımızda, adamakıllı tehlikeli bir durumdaydı. Üç-dört Rasta'nın ortasına oturmuş, bağıra çağıra ırkçılıktan söz ediyor, adadaki siyahların beyazlardan nefret ettiğinden yakınıyordu. Az sonra yumrukların konuşacağı, bıçakların çekileceği, adamların yüz ifadelerinden kolayca anlaşılıyordu. John, doğrusu kendisinden hiç ummadığım bir kurnazlıkla, onu bizimle oturmaya ikna etti.

"Siyahlarla beyazlar asla dost olamıyorlar. Baksanıza, bize nasıl bakıyorlar. Nefret ediyorlar bizden. Az önce dört, tam dört siyahi kadın benimle dans etmeyi reddetti. Sırf beyaz olduğum için. Benimle dans etmiyorlar bile."

John'un kaygıyla çevreyi kollamasından anlamıştım, Sten susmazsa hepimiz tehlikeye girecektik.

"Dün Sigrid yüzünden az daha kavga çıkacaktı. Bunlardan biriyle ikinci kez dans etmeyi reddettiği için."

Sigrid, pazar günü reggae konserine giden gruptaki ikinci kızdı. Seksen fizikçi arasında, adalılarla iletişim kurmaya çalışan yalnızca ikimizdik; ama nedense hep onun başı belaya giriyordu. Ben ondan daha becerikliydim belki ya da daha şanslı. Ne de olsa bir üçüncü dünyalıydım, bu adanın ezilmiş ve kızgın insanlarıyla aynı frekansı tutturabiliyordum.

Sten'i susturmak için dans etmeyi önerdim; ama piste çıkar çıkmaz, hiç hoşlanmadığım bir pişkinlikle bana yapışıp kalçalarını dayayıverdi.

"Bu şekilde dans edemem," deyip hafifçe ittim onu.

"O zaman ben de seninle dans etmem."

"Etmezsen etme."

"Sen nesin biliyor musun? Şımarıksın. Evet kızım, sen şımarığın birisin."

Beni pistin ortasında bırakıp gitti, çiftlerin ortasında tek başıma kalmıştım. Umursamaz görünmeye çalışarak; en azından şarkıyı bitirmeye çalışıyordum. Kenarda, ellerinde içki kadehleri ile bekleşen, yalnız ve sarhoş adalı erkeklerin hedefi oluvermiştim bir anda. Elbette beni tanıyorlardı. Faray ile dans eden, dans etmekten de öte ayakta sevişen beyaz kız. Aynı anda dört-beş kişi üzerime üşüştü, en hızlıları tarafından kapıldım. Yeni eşim, orta yaşlı, hafif göbekliydi, o da bana derhal sarılmış, kalçalarını benimkilerle bitiştirmişti. Doğrusu Sten'den çok daha ustaca dans ediyordu ama ona bir türlü uyum sağlayamıyordum. Faray'ın sözlerini hatırladım. "Beni istemezsen benimle dans edemezsin." Şarkının ortasında pisti terk ettim, masaya dönüp Sten'e bağırmaya başladım.

"Sen gördüğüm en terbiyesiz, en küstah herifsin. Kızlar seninle beyaz olduğun için değil, körkütük sarhoş olduğun için dans etmemişler. Çok da akıllılık etmişler."

Her zaman sakin ve soğukkanlı olan John, arabuluculuk rolünü üstlenmiş, bu sefer de o beni dansa kaldırmıştı. O kadar öfkeliydim ki müzikle kavga edercesine dans ediyordum. John şaşkınlıkla izliyordu beni, bir turistin, üstelik bir Türk kızının, tropikal dansların böylesine üstesinden gelebileceğini hiç ummamıştı.

"Sten, senin birçok şeyi becerebilen bir kadın olduğunu söyledi. Haklıymış."

"Öyle mi dedi sana? Ne zaman fırsat buldu da beni çekiştirdi? Şimdi gidip ona nasıl kavga etmeyi becerdiğimi de göstereyim."

Zavallı John gerçekten kaygılanmıştı. Sarhoş bir İskandinav ile kızgın bir Akdenizlinin kapışmasında taraf olmayı hiç istememişti. Kalabaş'a geldiğim için lanet ediyordum kendime. Önceki geceyi tekrar yaşamayı ummuştum ama o insanın hayatında yalnızca bir kez gerçekleşebilen bir şeydi. Bir anıyı yeniden yaşamaya çalışmak ne kadar umutsuz, anlamsızdı. Yapay bir mücevherden daha uyduruk bir şeydi.

Masaya döndüğümde, Sten oldukça gösterişli, simli bir gece elbisesi giymiş, şişmanca bir siyahi kadınla konuşuyordu. Kadın, çok eski bir dostuymuşum gibi selamladı beni.

"Beni hatırladın mı?"

Hatırlamamıştım.

"Sen Türksün, değil mi?"

Geçen hafta, tuvalet kuyruğunda tanıştığım genç kadındı. Ona Amerikalı olup olmadığını sorduğumda, boynunu bükerek, "Bu adalıyım," demişti. Ada yerlileri Amerikan vatandaşı sayılsalar da oy verme hakları yoktu. Ben de her zamanki densizliğimle, "Türk olmaktan iyidir," diye karşılık vermiştim.

"Beni tanımana çok şaşırdım."

"İnsan her gün bir Türk ile tanışmıyor ki. Bak bu da annem."

Yan masada oturan, en az kızı kadar göz alıcı giyinmiş, bol makyajlı yüzünden yaşı kesinlikle okunmayan bir kadını işaret etti.

"Ne kadar genç gösteriyorsunuz," dedim.

Aslında ikisi de aynı yaşta, genç kızlık çağını geride bırakmış ama henüz yaşlanmamış kadınların yaşında gösteriyorlardı.

"Yalnızca bu gece. Yarın sabah gerçek yaşımı göstereceğim."

Sadece bunu söyleyip arkasını döndü ve bir daha benimle hiç ilgilenmedi. Kızı ise sohbeti kısa kesip masaya asıl geliş nedenini açıklayıverdi."

"Kuzenim seninle dans etmek istiyor." Şaşkınlıkla arkama dönünce Faray'la göz göze geldim. Az kalsın mutluluktan bir çığlık atacaktım.

Daha romantik, daha duyarlıydı bu gece Faray, is karası gözlerinde, nedenini anlayamadığım bir hüzün vardı. Artık birbirimize çok daha yakındık; dansımız en az dünkü kadar ateşli ve baştan çıkarıcıydı ama kesinlikle daha duygusuzdu. Dün, ani ve güçlü bir cinsel çekimin etkisine girmiş bir çifttik, bugünse yaşadığımız olgunlaşmış bir tutkuydu. Balayında olmak gibi bir duyguydu bu. Bedenim onun sıcak, tanıdık bedeninden ayrılmayı hiç istemiyordu.

"Arkadaşın siyahlarla beyazların bir arada olamayacağını söyledi. Ama ben seni istiyorum, sen de beni."

"Boş ver, aldırma ona. Çok sarhoş."

Sten, alaycı bakışlarını kalçalarımdan hiç ayırmadan, pişmiş kelle gibi sırıtıyordu. Ne düşündüğünü tam olarak kestirebiliyordum. "Sana sarılmama izin vermedin ama şu haline bak. Keşke zenci olsaydım!" John da, Amerikalılara özgü o ikiyüzlü püriten ahlakı ile benim "kolay bir kadın" olduğuma karar vermişti herhalde.

"Biraz oturalım mı? Bir işim var da. Sonra tekrar dans ederiz."

İsteksizce yerime döndüğümde, ansızın yok oluverdi. John, koruyucu melek tavrıyla, beni uyarmayı görev edinmişti.

"Faray'a dikkat etsen iyi olur. O kokain satıcısı, bu kulübün kontrolü onda."

"Doğru mu bu?"

Doğru olduğunu biliyordum. Davranışlarından apaçık belliydi bu. Arada bir ortadan yok oluşu, karanlık yüzü, insanlarla hep kısacık konuşması, buranın kralıymış edası, belindeki silah... Sonra bu saatte başka ne işi olabilirdi ki?

"Evet, kesinlikle. Bir arkadaşım kokain kullanıyor. Hep ondan alır."

Tony'nin katil oluşuna kıyasla hiç de çarpıcı bir haber değildi. Şaşırmamıştım bile. Yalnızca bu genç yaşta böylesine şiddet dolu bir ortamda, babalığa dek yükselmesi hayret vericiydi. En iyi olasılıkla birkaç yıllık ömrü kalmıştı herhalde.

John geri dönmeyi önerince kabul ettim. Sten, Kalabaş'ta kalmakta ısrarlıydı, onu o halde bırakmaya gönlüm elvermediği halde üstelemedim. Faray'ın geri geleceğinden emin değildim, üstelik yanında, dün gece olay çıkaran kız da olabilirdi, o saatte kulüpte tek başıma kalmanın, göze alınması olanaksız tehlikeleri vardı. İşte bunun gibi mantıklı ve geçerli bir yığın neden sayabilirdim ama tabii, aslında bunların hepsi bahaneydi. Şimdi kabul ediyorum, Faray kesinlikle benim için dönecekti ve kokain satıcısının "kızı" olduğum sürece kimse kılıma bile dokunamazdı. Kaçışımın gerçek nedeni korkaklığımdı. Arzumun hedefine ulaşmasından, onu sonuna dek yaşamaktan duyduğum korkuydu. Zaten eğer yaşayabilseydim, bugün oturup bu öyküyü yazmazdım. "Yaşama kabızlığı" diye adlandırdığım o illete tutulmamış olanlar, yazar olmayı akıllarından bile geçirmezler bence. Faray'ı hayatta ıskaladığım her şeyin; yarıda kesilmiş, iğdiş edilmiş, kürtaja uğramış duygularımın bir simgesine dönüştürdüm. Hiç unutulmayan bir dize ya da melodi gibi hep belleğimde olacak, Tony'ye duyduğum aşkla birlikte.

Dönüş yolunda, John'un savaş alanında mahsur kalmış kadar korku içindeki iki arkadaşını arabamıza almak zorunda kaldık. Uzun boylu, iri yapılı, ahmak görünüşlü, tipik Amerikalılardı bunlar, tipik bir "cumartesi gecesi"nden döndükleri için de kafayı iyice bulmuşlardı. İkisi de boş bira şişeleri taşıyorlardı. John'un belirttiğine göre, bu adada geceleri bıçağın yanı sıra bir de şişe taşımak âdetti, ama tabii tabanca en iyisiydi. Silah seslerini duyup duymadığımızı sordular, duymamıştık.

İçlerinden biri benimle tanışmak isteyince, John hemen atılıp ismimin İngilizce okunuşunu söyledi.

"Ne kadar güzel bir isim. Hiç duymamıştım."

John'un, Türk olduğumu söylemeye utandığını sezdim ama pek önemsemedim. Sonuçta John'u hiç önemsemiyordum çünkü.

Beş dakika bile sürmeyen bir yolculuktan sonra, iki Amerikalı defalarca teşekkür edip indiler. Bu iriyarı, bıçaklı, şişeli adamların şu kadarcık yolu yürüyememesi, doğrusu aklımı başıma getirmişti. Bu ada bize anlatıldığı kadar, hatta çok daha tehlikeliydi. Issız kumsallarda, hiç tanımadığım birisiyle yürüyerek atıldığım tehlikenin boyutlarını ancak o anda tam olarak kavrayabilmişim. Tony'nin dediği gibi, "Bilmediğin şeyden korkmazsın." Son iki hafta boyunca ölümle düello yapıyorduk, üstelik de benim gözlerim bağlıydı. Şans eseri ikimizin de atışları hep karavana olmuştu ama namluda unutulmuş son bir kurşun daha olduğuna emindim.

"Bu gece benimle kalır mısın?"

John'un ufak oturma odasındaydık. Adını bir türlü öğrenemediğim, iri, kırmızı çiçekleri olan, bir tür tropikal ağaçla dolu bahçede bulunan ev, tek katlı ve çok şirindi. John'un dışında, üç kurt köpeği ve bir kediyi barındırıyordu. İçerisi sepetler, deniz kabukları, konser afişleri, suluboya resimler, plakalar ve içki şişeleriyle doluydu. Tavana, palmiyeden yapılmış kuşlar, balık ağları asılmıştı, halının üstünde dev bir bisiklet duruyordu.

"Beni yanlış anlama lütfen ama seninle sevişemem. Uzun süredir hiç kimseyle olmadım."

"Sevişmemiz şart değil. Sadece... Ben... Ben de çok yalnızım. Birine sarılıp uyumak istiyorum sadece. Hepimiz yalnızız."

Neden kabul ettiğimi hâlâ tam olarak bilmiyorum, belki de hayata boyun eğişindeki yalınlık içimi burkmuştu. Ondan hoşlanmıyordum bile. Kendi yarattığım ama artık içinde boğulmaya başladığım yalnızlıktan umutsuzca bir kaçış denemesiydi belki de. En başından beri sonuçsuz kalacağını bildiğim, kolay ve tehlikesiz bir yol seçmiştim. Sevdiğim adamı en yaralayıcı, en kaba biçimde reddetmiş, tutkuyla arzuladığım Faray'dan da (bence o, Tony'ye duyduğum aşkın, daha doğrusu Tony'nin bende uyandırdığı sevme yeteneğinin görünümlerinden biriydi) köşe bucak kaçmıştım. Şimdi bu ürkek çocukla uyuyacak, böylece bütün duygusal risklerden kurnazca sıyrılacaktım. Kendime hem umut, hem de ceza vermiş olacaktım. Sonuçta biz kadınlar, cinsellik söz konusu olduğunda umulmadık davranışlar gösterebiliriz ve bu da bedenimizle ilişkilerimizin karmaşıklığından kaynaklanır.

"Neden kimseyle beraber olmuyorsun? Yani, kusura bakma ama çok çekici bir kadınsın."

Söylediğine çok utanmıştı, elindeki rom şişesini düşürüp kırdı.

"Özür dilerim, bazen çok sakarım."

"Kadınların yanında mı?"

"Evet. Nasıl anladın?"

"Hiç de zor değil. Barda da iki defa içkini dökmüştün."

Bütün ödlekler gibi, kendimden daha korkak birini bulunca gözüpek kesilmiştim.

"Sorunun cevabını bilmiyorum. Tecavüze uğramıştım ama bunun pek etkisi olduğunu sanmıyorum."

Tepkisini ölçmek için yüzünü dikkatle inceliyordum: Hiç aldırış etmemişti.

"Tecavüze uğramış birini daha tanıyorum. Bir erkeği."

Sesindeki belli belirsiz titreme onu ele vermişti. Tecavüz konusunda nesnel gözükmek, herhangi bir duyguyu açığa vurmamak için çabalıyordu. Adım gibi emindim, tecavüze uğrayan kendisiydi.

"Erkekler için daha zor olsa gerek," dedim gözlerimi gözlerinden hiç ayırmadan. Dudakları hafifçe titredi. Ben Tony'nin karşısında nasıl çözüldüysem, o da benim karşımda öyle çözülüyordu. Oyuncu küçük kediyi yakalamayı başarmıştım, ellerimin arasında zaptedebilmek için boynunu okşuyordum. Konuşmayı sürdürdüm.

"Hayatım rezil geçti. Tecavüz, sonra bir kere çok kötü dövüldüm. Bir kere de intiharı denedim."

Hepsi doğruydu ama bana o anda öyle uzaktılar ki, yapay, kof, çığırtkandılar. Alkolün de katkıda bulunduğu bir umursamazlıkla, alışveriş listesini gözden geçirircesine sıralıyordum onları. Umrumda bile değildi hiçbiri, hiç var olmayan geçmişim, acı, mutluluk, umut, ölüm, hiçbir şey.

Kedi bir sıçrayışta John'un kucağına geçip uzun bacaklarına serildi, kaldı.

"Benimki de. On altı yaşında hapse girdim."

Son günlerde tanıdığım herkes gibi, o da yasadışı işlere bulaşmıştı demek. Bu ada, yoldan çıkmışların, katillerin, uyuşturucu satıcılarının toplandığı bir getto, bir cezalılar kolonisi miydi, yoksa benim en uyumsuzları seçmekte olağanüstü bir sezgim mi vardı? Sanırım kendi içimdeki gettoda sadece umutsuzları ve yasadışı insanları barındırabiliyordum.

"Ben de intihara kalkıştım, defalarca."

Şimdi şaşırmıştım işte, intiharı deneyen bir erkekle ilk kez karşılaşıyordum. Üstelik John, nevrotik olamayacak denli basit görünüyordu. O anda, yaşamak zorunda kaldığı acıları öğrendiğimde, John'un gerçekliğiyle yüzleşmeyi başardım. Karşımda duran ince, uzun, sarışın, aptal görünümlü, çekingen çocuk; bir başkası, bir yabancı; benimkine benzer deneyimlerden geçmişti. Çok ayrı yollardan da olsa, ikimizin de hayatı aynı noktalara, aynı acı bataklara varmıştı. Sonuçta hepimiz insandık, hepimiz korkuyorduk.

Kediyi halıya bırakıp yanıma geldi, boynuma sarıldı.

"Herkesin, bütün canlıların, ister hayvan olsun, ister insan, şefkate gereksinimi vardır."

"Çok doğru," diye düşündüm, "ama ne almasını ne de vermesini biliyoruz. Birisi bize azıcık sevgi göstermeyegörsün, ne oyunlar oynuyoruz."

Ertesi sabah, John'un kollarında tanıdık bir duyguyla uyandım. Bedenim, bütün geceyi birlikte geçirdiği bu sıcak erkek bedenini istiyordu. Faray'a duyduğum arzu gibi yakıcı, şiddetli bir çığlık değildi bu, basit ve içgüdüseldi, etin kendi mırıldanışıydı. Okşamalarını, ev ödevini yapan bir çocuğun alışkanlığıyla yanıtlıyordum. Sevişmeye başlayana dek. Ansızın güçsüz ve kırılgan arzum, öfkeye dönüşüp bir tabanca gibi kendime çevrildi. Korkunç bir umutsuzlukla ağlamaya başladım.

"Ne oldu sana? Ne oldu, söylesene. Yanlış bir şey mi yaptım?"

John çok telaşlanmıştı. Hıçkırmaktan cevap veremiyordum.

"Benimle olduğun için mi?"

"Hayır, seninle hiç ilgisi yok. Hep böyle oluyor. Son bir yıldır. Ne zaman denesem böyle oluyor."

Kafamı yastığa gömüp ağlamaya devam ettim. Bir girdap beni çok derinlere, okyanusun dibindeki kuyulara çekiyordu. Beynimin ortasında bir uçurum açılmıştı; kapkara, gölgelerle kaplı bir uçurum. Şefkat! Dağılıp gitmemi önleyebilecek tek şey olan şefkatin ta kendisi, beni böyle paramparça ediyordu.

Adadaki son günümün sabahı böyle başladı işte. Acı geri gelmiş ve beni kendi hayatıma geri döndürmüştü. Bu naif Karayip masalı bitmişti, Tony'yi bulsam da bulmasam da. Tropiklerin, o yeryüzüne daha yakınmış gibi görünen gökyüzünün altında dursam bile, ben gene aynı bendim.

John gerçekten çok duyarlı ve yumuşak davranıyordu, beni gereksiz sorularla sıkmıyor, faydasız tesellilere kalkışmıyordu. Kendisi de acının ateşten çemberinden atlamıştı, bir başkasına gereken tılsımlı ilacı sağlayamayacağını iyi biliyordu. Hepimiz okyanusun sonsuzluğunda kaybolmuş yapayalnız adacıklardık; sınırlarımızı aşıp bir başkasına dokunabilmemiz, bir yanılsamaydı yalnızca.

Ağlama krizinin dışında sıradan bir pazar sabahı! John'un kahvaltıda peynir ve zeytin yemem karşısında hayretler içinde kalması, çay yapmak, şeker bulmak için koşuşturması, rock dinlemek, fotoğraf albümü... Colorado çöllerinin, Arizona dağlarının, tropikal adaların fotoğrafları; yaşamına girmiş ve çıkmış kadınlar, dostlar, insanlardan daha fazla bağlanabildiği köpekleri... Yaşlı, bilgin bir Kızılderili, dedesiymiş. Çölde, sıcaktan ölmek üzereyken kurtarıp evcilleştirdiği bir atmaca. Bana verdiği hediyeler. Kızılderili kültürüyle yakından ilgilendiğimi öğrenince, değerini bileceğime inandığı, Komançi boncuklarıyla işli, kutsal bir kartal tüyü; tavandan sarkan palmiye kuşlardan biri, bir şişe rom. Bayram ziyaretinden dönen küçük bir çocuk gibi, ellerim kollarım armağanlarla dolu, otele vardığımda saat üçü geçiyordu. Öğle yemeğini ve son gün seminerlerinin hepsini kaçırmıştım. Yokluğum sırasında bir tek kişi aramıştı beni, Marcos. Geçen pazar, reggae konserinde buluştuğum dalgıç, otele uğramış ve beni sormuştu. Kumsalda, yalnızca Maya, Peter ve Kanadalı teorisyen vardı, Nabokov'dan konuşuyorlardı. Nabokov en sevdiğim yazarlardan biridir, yeteneğine hayran olmanın ötesinde, ruhsal olarak da kendimi ona çok yakın bulurum. Hemen söze daldım ve kıtlıktan çıkmışçasına, uzun uzun, coşkuyla konuştum. Tuhaf bir suskunlukla karşılandı dediklerim, hiç kimse karşılık vermedi. Edebiyat bilgisiyle övünen biri konumuna düşmüştüm bir anda. Belki de artık adam yerine konulmuyordum, kim bilir. Konu anında değişti.

"Dünkü problemi düşündüm."

Kanadalı teorisyen, piknikte başladıkları, genel görelilik tartışmasını gündeme getiriyordu. Maya da, hiç ilgilenmediği halde can kulağı ile dinlermiş gibi bir poz takınmıştı. Oysa o da, benim gibi genel görelilikten hiç anlamazdı. Son günlerde sık sık gelen uzaklaşma, kaçıp gitme arzuma boyun eğdim, tek bir söz etmeksizin, koca hasır şapkamı başıma geçirdim ve ötekilerin şaşkın bakışlarına aldırmadan, kumsalda yürümeye başladım. Hindistancevizi ağaçlı buruna doğru. Tony ile o ilk günkü uzun yolculuğumuzu, bugün tek başıma, kılavuzsuz yapıyordum. Beni kabuğumdan dışarıya çekip alan, bambaşka, gizli ve tehlikeli bir dünyaya götüren o yolculuk. Yasak meyveyi keşfetmiş ama ona henüz el sürememiştim. Bugün, aynı yollarda aradığım Tony idi, ya da Tony diye adlandırdığım bir şey, okyanus kadar derin ve sonsuz olan bir şey. Kabuk Adam bana yaşamın şarkısını öğretmişti.

Kumsal aynı o günkü gibi bomboştu; dalgaların sesi ve palmiyelerin uğultusu eşlik ediyordu adımlarıma. Tony bir daha hiç gelmeyecekti. Okyanusun ortasında küçücük bir nokta olan bir adada yürüyordum ve ben de sonsuz küçük bir noktaydım. Tony'yi kaybetmiştim. İçimdeki boşluk, bir kara delik gibi, onu da içine çekip yutmuştu.

Köpekli evin bahçesine ulaşınca durdum, daha öteye gidecek cesareti bulamıyordum. Köpeklerden, palmiyelerin uğultusundan, otel yıkıntısından, yalnızlıktan ölesiye korkuyordum. Geriye dönmek zorundaydım, her zamanki gibi, varmak istediğim yere bir türlü varamadan.

Yıkık dökük setin üzerinde, denizi inceleyen iki karaderiliyi fark edince, hızla onlara doğru yürüdüm. Yaklaştığımı görür görmez suskunlaşmışlar, beni hayretle izliyorlardı.

"İyi günler. Ben Tony'yi arıyorum, buralarda deniz kabuğu satar. Onu tanıyor musunuz acaba?"

"Elbette. Neden arıyorsun onu? Deniz kabuğu mu almak istiyorsun?"

Acı acı güldüm.

"Hayır. Onunla... Onunla, sadece konuşmak istiyordum."

"Tony pazar günleri buraya gelmez."

"Görürseniz aradığımı iletir misiniz, lütfen?"

Kuşkuyla seyrettiler uzaklaşmamı. Deniz kabuğu bile almayacaksam, Tony ile ne işim olabilirdi ki?

Bütün bir gün Tony'yi bekledim. Kızgın güneşin, bir başlayıp bir kesilen tropik yağmurların, hiç durmayan sert rüzgârların altında, öylece, kımıltısız, bin yaşındaki bir zeytin ağacı gibi bekledim. Thomas, elinde sepetleriyle gelip gitti; kumsal, fizikçilerle bir dolup bir boşaldı; beyaz, eyersiz bir ata binmiş bir yerli dörtnala geçti, dünkü yoksul beyaz adamlar kalan hindistancevizlerini topladılar. Konuşmalar, kahkahalar dinledim ama hiçbirine katılmadım. Bekledim, bekledim, bekledim. Tony gelmedi.

Gökyüzü son kez tutuştu, bulutlar korların arasında yanıp söndüler, dünya lacivert bir kabuğa dönüştü. En sonunda, gece bulutu gelip bütün adayı yuttu.

Odamın balkonunda oturmuş, akşam yemeği saatini bekliyordum. Yirmi dört saattir hiçbir şey yememiştim. Açlık, bir tufan gibi ezip geçmişti benliğimi, içimdeki her şey sular altında yok olmuş gibiydi. Umutsuzluğun son basamağıydı bu, bir idam mahkûmu gibi son yemeğimi yiyip sigara içmekten başka bir şey düşleyemiyordum. Birazdan karnımı tıka basa doyuracak, veda partisinde, kafayı bulana dek romlu kokteyller içecektim.

Erkenden odama çekilip bavulumu, "Karayip hatıralarımı" toparlayacak ve uykunun avutuşuna sığınacaktım. Sonra da bu adadan, bir daha hiç dönmemek üzere ayrılacaktım. Unutacaktım. Gerçek hayatıma dönünce, çabucak silinecekti Tony'nin yüzü ve Karayipler'in izleri; deniz kabukları çürüyecek, palmiye sepet kuruyacak, okyanusun imgesi öteki denizlerinkine dönüşecekti. Bu öykü, perde aralarında çalınan bir piyano müziği olacaktı yaşamımda ya da karanlık gökyüzünde anlık bir şimşek.

Çalıların arasından, her zamanki çevik ve sessiz adımlarıyla yaklaşan Tony'yi gördüğümde, ben o adadan çoktan uzaklaşmıştım. Ufuk çizgisinden, kapkara okyanusun içinden çıkıp gelmiş gibiydi Kabuk Adam ve çok geç kalmıştı. Hayatıma da çok geç kalmıştı zaten.

Çekinerek elini salladı, çabucak karşılık verip kendimi dışarı attım. Kapının önünde burun buruna geldik.

"Nerelerdeydin? Bütün gün seni aradım. İçeri gelsene."

Üzerinde, onda şimdiye dek hiç rastlamadığım bir ürkeklik, hatta umutsuzluk vardı, odaya girince daha da arttı bu. Bu tür bir otel odasına, Amerikan barlı, televizyonlu, bir ev kadar geniş ve konforlu bir odaya ilk kez geliyordu herhalde. Başını yalınayak adımlarından kaldırmadan, yan gözle odayı çabucak inceledi.

"Kusura bakma, içerisi pek dağınık," dedim. Duyduğu huzursuzluğu, yabancılığı azaltmaya çalışıyordum.

Masanın üzerine saçılmış kitaplara bakıp gülümsedi. Balkona çıktık.

"Bu deniz kabuklarını kim verdi sana?"

Sesindeki kızgınlık, saklamaya çalışmadığı kıskançlığını açığa vurmuştu; aynı, ilk gece Khrish hakkında beni sorguya çektiği zamanki gibi. Son yirmi dört saat içinde, bana deniz kabukları hediye eden, adalı bir âşık bulduğumu düşünüyordu belki de. Bir yandan da, kabukları bir uzman gözüyle incelemiş ve beğenmemişti.

"Benim değil ki onlar, ben geldiğimde buradaydılar."

Benden önceki müşteri toplamış olmalıydı, rüzgârdan uçmasınlar diye havluların üzerine koymuştum kabukları, o kadar.

"Bugün gelemediğim için çok üzgünüm. Seni epeyce hayal kırıklığına uğrattım herhalde."

"Evet, öyle sayılır."

"Çift taraflı bir hayal kırıklığı bu."

Aramızda sözcüklerin olmadığı, yeraltı nehirleri gibi derin bir konuşma geçti. Birbirimizi anlamıştık.

"Bana çok kızdığını düşündüm. Dakikalardır palmiyelerin altındaydım, seni seyrediyordum. Sigara içiyordun. Benden tarafa bakıyordun ama beni görmezlikten geldin."

"Seni gerçekten de fark etmemiştim Tony, görür görmez el salladım. Gözlerim pek iyi değildir, özellikle karanlıkta."

Yüzünden, bana inanıp inanmadığını anlamak olanaksızdı.

"Akşamüstü beni sen mi aradın? Arkadaşlarım söyledi, bir kadın beni sormuş."

"Evet, bendim."

"'Güzel miydi?' diye sordum onlara. 'Güzeldi,' dediler. Ben de, 'O zaman odur,' dedim. Ama başında hasır şapka varmış. Ben seni hasır şapkayla hiç görmedim."

"Kocaman bir hasır şapkam var, eşeklere taktıkları cinsten."

Gözleri yumuşamış, sevgiyle dolmuştu. Avuçlarında bir kuş tutarcasına, gözbebeklerinin ta içinde saklıyordu beni.

"Bugün başım belaya girdi, ondan gelemedim. Yoksa senin son günündü, mutlaka burada olmalıydım."

Gerçekten de korkunç çaresiz görünüyordu, telaşlandım.

"Ne oldu?"

"Polise yakalandım."

Aklıma ilk marihuana geldi, buralarda yasak değildi ki!

"Nasıl enselendin?"

"Enseleme" sözcüğünü bilmeme şaşırmış gibi baktı. Kısa bir suskunluktan sonra ağır ağır anlatmaya başladı.

"Deniz kabuğu çıkarırken. 'Bırakın gideyim,' dedim, bırakmadılar. Bu ikinci enselenişim. Bütün gün tuttular. Seni bugün hindistancevizi ağaçlarına götürecektim, birlikte hindistancevizi sütü içecektik. Söz vermiştim."

"Boş ver, önemli değil. Ne olduğunu anlatsana!"

O kadar sarsılmıştı ki kafasını bir türlü toparlayamıyordu. Anlattığı karmakarışık hikâyeden anladığım kadarıyla, çıkarılması yasak olan bir tür deniz kabuğu yüzünden yakalanmıştı ve bu suçu ikinci defa işlediği için mahkemeye verilecekti. Büyük olasılıkla iki bin dolar ceza yiyecek, cezayı ödemezse de hapse girecekti. Günde, tanesi on, yirmi dolara, bir-iki deniz kabuğunu güçlükle satabilen Tony, iki bin doları kesinlikle bulamazdı.

"Ne yapacaksın? Bu kadar paran var mı?"

"Bulacağım."

"Nasıl?"

"Kokain işine geri döneceğim. Daha önce de yapmıştım, sana anlattım ya. Tekrar yaparım."

"Bu iş çok tehlikeli, Tony!"

Basmakalıp laflardan başka söyleyecek bir şey bulamıyordum. Ben fizik laboratuvarında, güven içinde, Tony'nin öyküsünü düşünürken, o gece gündüz, cebinde bir silahla, polis ve öteki satıcılarla (belki Faray'la da!) boğuşacaktı.

"Üstelik büyükanne hastalanmış, hastaneye kaldırmışlar. Anahtar ondaydı, eve giremedim. Üstümü bile değiştirmedim. Hiç param yok, karnım da aç."

Birdenbire kuşkulandım, bu kadarı biraz fazlaydı. Tony acaba beni zengin zannedip birkaç yüz dolar sızdırmaya mı çalışıyordu? Bir yandan da, bu kuşkum yüzünden kendimden tiksiniyordum.

Kimseye tek kuruş kaptırmamakla övünen, aşağılık para düşkünlerinden biri miydim? Hiç param olmadığı için gizlice sevindiğimi anımsamak, öylesine ağır bir yüktü ki vicdanımda.

"Tony, bu odada yiyecek içecek hiçbir şey yok. Ne yazık ki sana bir şey ikram edemeyeceğim."

Kazınan midemi hatırladım, yemeğin bitimine yarım saat kalmıştı. Birden aklıma, Tony'nin verdiği marihuana geldi, ona dokunmamıştım bile.

"Bir dakika, bir şey var hiç değilse."

Koşa koşa yatak odasına geçtim, yeşil otu, üç gündür rahatsız edilmeden saklandığı köşesinden çıkardım. Tony bir bakışta kendi malını tanımıştı. Hiçbir gerçek içici, bunu dört gün boyunca içmeden duramazdı.

"Bu kâğıtları nereden buldun?"

"Bir arkadaşım verdi."

Sabah, John'dan ayrılırken sigara kâğıdı almayı ihmal etmemiştim. Tony hiç karşılık vermedi, gene kuşkulanmıştı.

"Hepsini koy lütfen, bunu bu gece bitirmeliyiz. Yarın sınır geçeceğim."

Her zamanki ustalığıyla, çabucak, çift kâğıtlı bir sarma yaptı. Şimdiye kadar denediklerimden çok daha güçlüydü bu seferki, iki nefeste başım dumanlanmıştı. Marihuananın etkisini ilk kez anlıyordum, dünya daha güzelleşmiş, daha derin anlamlar kazanmıştı. Hayata renkli bir tül perdenin ardından baktığım gibi, kapısından içeri girmeyi de ilk kez başarıyordum. Burada, gecenin içinde, sonsuza dek oturabilir ve Kabuk Adam ile konuşabilirdim. Her nefeste birbirimizi daha derinden kavrıyorduk, bir başka ortak dil daha oluşuyordu aramızda. Zihinsel bir kucaklaşmaydı bu.

"Sen gerçek bir insansın."
"Bu ne demek, Tony?"
"Gerçek bir kişiliğin var."
"Teşekkürler."
Cigara el değiştiriyordu. Hüzün, yoğun bir sis bulutu gibi yavaşça çökmeye başlamıştı.
"Ben giderek hüzünleniyorum," dedim.
"Ben zaten çok hüzünlüyüm."
"Sanırım seni çok özleyeceğim."
"Ben seni özleyeceğime eminim."
Uzanıp ona dokunmak, tıpkı bana yapmış olduğu gibi, parmaklarımı sırtında dolaştırmak istedim. Sonra da ona sarılmak. Yapamadım.
"Ben hiç eğitim görmedim, zeki de değilim. Senin gibi zeki bir kadına ihtiyacım var."
"Ama sen çok zekisin Tony!"
Olağanüstü bir sevecenlikle konuşmuştum, bir türlü dile getiremediğim sevgimi, o önemsiz, sıradan beş sözcüğe sığdırmak ister gibi. Ona dokunamayışımın ağırlığını onlar yüklenmişti. Sesimle okşuyordum Kabuk Adam'ı, bir de bakışlarımla.
"Yolumu bulacak kadar sadece."
Bu adada kalıp kalmayacağımı sormuştu belki de ya da sormak üzereydi. O zamanlar, bunun olanaksız olduğuna inanıyordum. Pasaportumun süresi iki hafta içinde dolacaktı, master tezimi, laboratuvardaki işimi yarıda bırakamazdım, üstelik de hiç param yoktu. Hayatımı, bir sigara gibi orta yerinde fırlatıp bir yenisiyle değiştiremezdim ki. Hayat ciddi bir iştir! İşte o anda, birden, o korkunç, her şeyi bitiren cümleyi söyleyiverdim.
"Tony, bütün gün hiçbir şey yemedim ve yemek saati az sonra bitecek. Daha sonra buluşalım mı?"

Kahrolası açlığım, beni yemekten başka bir şey düşünmeyen bir hayvana dönüştürmüştü. İnsanoğlu, karnı açken ne kadar zalimleşebiliyor, özellikle de kendinden daha aç birinin karşısında.

"Sana biraz para verebilirim. Bu akşam için bir şeyler satın alabilirsin. Kusura bakma, ben de çok parasızım." Cüzdanımdan on dolar çıkarıp ona uzattım. Ben gerçek bir insandım işte! Tony'nin yüzü elektrik verilmişçesine kasıldı, gözlerini yere indirip üstdudağını ısırdı. Parayı aldığı anda aklım başıma geldi. O benim paramı hiç istememişti ki!

Onu öldüresiye yaralamıştım. Hem de bir tek düşüncesiz davranışla. Her şeyi bir anda mahvetmiştim. Bir Japon samurayı ustalığıyla, tek bir kılıç darbesiyle, Kabuk Adam'ı yok etmiştim. "Cehenneme giden yolun taşları iyi niyetle döşenmiştir," derler ama ben buna inanmıyorum. Her iyi niyet taşını ters çevirin, altında bir alçaklık saklıdır. Cehenneme giden yolun taşları, bence korkuyla döşenmiştir. İçimdeki insan uyanmıştı ve bütün uyanışlar korku vericidir.

"Peki, ben sonra gelirim."

Bakışları bütünüyle değişmişti artık, hayal kırıklığı, öfke, umutsuzluk ve tiksintiyle doluydu.

"Kesinlikle gel, lütfen. Bu son gecem, bak, istersen, bir koşu gidip bir şeyler yiyeyim, sen burada bekle!"

Geriye dönmek, hatamı düzeltmek için bir yol arayıp duruyor, giderek durumu daha da berbat ediyordum. O pek övündüğüm zekâm hiç de yardımcı olmuyordu.

"Ama odada bir kız daha kalıyor, sana rastlarsa işler karışık."

Lokantadan onun için de yiyecek bir şeyler getirmek geldi aklıma ama beni merakla izleyen seksen fizikçinin ortasında bunu becerebilecek gücüm yoktu.

"Tamam, tamam. Ben sonra gelirim."

Artık gözlerimin içine hiç bakmıyordu. Olağanüstü bir dostluğun can çekiştiği anlardı bunlar.

"Geleceksin, değil mi?"

"Evet!"

Geldiği gibi çabucak ortalıktan kayboldu. Bir "hoşçakal" bile demeden. İki-üç dakika geçmeden ardından fırladım.

"Tony! Tony!"

Çoktan gitmişti. Karanlığın içinde eriyerek yok olmuştu sanki. Bir rüyadan uyanırcasına, kapkara gerçekle, demir gibi soğuk, katı ve acımasız geceyle karşı karşıyaydım.

Tony o gece bir daha dönmedi ve ben buna hiç şaşırmadım. Bugün artık biliyorum: Hayatın bizlere verip verebileceği tek ödül, tek armağan, sevgi dolu bir insandır ve biz böyle bir insanı ilk fırsatta katlederiz. Sonra da ömür boyu, bu asla bağışlanmayan günahın lanetini sırtımızda taşırız.

Karayipler'de son gecemdi ve ben her şeye karşın, umutsuzca Tony'yi bekliyordum. Veda partisinin yapıldığı restoran ile kumsal arasında gidip geliyor, elimde bir boşalıp bir dolan kadehimle, gözlerim okyanusun sonsuzluğunda, bekliyordum. Tony, vurduğu adamın ölümünü, iki gün boyunca böyle mi beklemişti? Lokantadan kalipso ritimleri, kahkahalar, çığlıklar geliyordu, seksen kişi masaların arasında dans ediyor, gülüşüyor, birbirlerini havuza atıyordu. İtalyan çiftler, havuz kenarına dağılmış, bağıra çağıra şarkı söylüyor, şakalaşıyor, öpüşüyorlardı. Almanlar, bölünmez bir bütün halinde, gerçek bir takım ruhuyla kol kola girmiş, bir marşa eşlik edercesine oturdukları yerde sallanıyorlardı. İki kere havuza atılmış Maya, ıslak eteğini savura savura, orta yaşlı bir hayranıyla kalipso yapıyordu. Çoğunluğu Amerikalılardan oluşan yirmi-otuz kişilik bir grup, birbirlerinin beline tutunarak bir daire oluşturmuş, adalı müzisyenlerin şaşkın bakışları altında, dans ettiklerini zannederek, müziğe az çok uygun bir tempoda koşuşturuyordu. Peter, benim gibi dansı çok seven birinin neden oturduğunu sormuş, sonra da beni zorla o grubun içine çekmişti. Kıvrılıp bükülen, arada bir kopan zincirin en zayıf halkası olmuştum; önümdeki, sarhoşluktan yalpalayan, şişman fizikçiyi elimden kaçırmamaya çalışarak, tıknefes bir halde kalipso ritminde koşuyordum. Ateşin çevresinde çığlıklar atarak dönen Kızılderili savaşçıları kadar coşkuluydu grup, müthiş eğlendiklerine inanıyorlardı. Bense kendime öyle acıyordum ki az daha ağlayacaktım. Tony'nin gelip de beni o halde bulması düşüncesi bile utanç vericiydi.

Gece yarısından sonra parti kumsalda devam etti. Herkes zulasını ortaya çıkarmıştı. İçkiciler son biralarını, romlarını, tekilalarını, marihuanacılar otlarını getirdiler. Gruptaki tek Rus öğrenci, iki hafta boyunca özenle topladığı deniz kabuklarını okyanusa geri atıyordu. Bavulunda hiç yer kalmamıştı. Çantasından çıkardığı kabukları, teker teker, olanca gücüyle suya fırlatışı öyle komikti ki! Peter kulağıma fısıldadı:

"İyice gerçeküstü bir ortam değil mi?"

Kahkahalarla gülmeye başladım, kendimi bir türlü durduramıyordum. Otun bir etkisini daha öğrenmiştim. Hayatın gülünç, saçma yönlerini ortaya sermekte birebirdi bu yeşil, masum görünüşlü sihirbaz. Kendi idamına yürüyen birinin, celladın düşen pantolonuna gülmesini sağlayan bir serinkanlılık, mutlulukla hiç ilgisi olmayan bir neşe veriyordu; hayır, mutlu bir neşe değildi bu.

Defalarca iskeleye gittim; umutsuzluğun, alkolün ve marihuananın verdiği cesaretle kumsal boyunca, defalarca, tek başıma yürüdüm. İskeledeki küçük demir çıkıntının, uzaktan bakıldığında, çömelmiş bir insanı andırdığını bile bile, her seferinde kendimi kandırıyordum. Sahte umutlarla dolu, demir çıkıntının Tony'ye dönüşmesi için dua ederek, tekrar tekrar iskeleye çıkıp bakıyordum. Lambanın beyaz ışığı altında dakikalarca kıpırtısız duruyor, beni gettodan görüp de gelmesini bekliyordum. Sonunda yorgunluktan ve kendime duyduğum nefretten tükenmiş bir halde çömelip kaldım. O sahte-Tony-demire alnımı dayamış, hiç ama hiçbir şey hissetmeden, siyah suları seyrediyordum. Tony'yi bir daha asla göremeyecektim ve ancak o anda, onu tamamen kaybettikten sonra, aşkımın derinliğini kavrıyordum. Elim, farkında olmadan dizime düşmüş, sigara da pantolonumu delip, bacağımı yakmaya başlamıştı. Can acısını bile, çok geç, yanık iyice derinleştikten sonra algılayabilmiştim.

Akaryakıt deposunun gürültüsü, karabüyü ayinine başlamıştı gene.

Pazartesi sabahı. Bavullar toplanmış, rom şişeleri, sepetler, kartpostallar, hediyeler paketlenmiş; fizik notları el çantasında; pasaportun, biletin son kontrolü yapılmış. Maya ile son bir kez okyanusta yüzmek istiyorduk. Tıpkı ilk gün olduğu gibi, kumsalda yalnızca ikimiz vardık. Bu sefer, Maya'nın usta kulaçlarına güçlükle yetişebiliyordum.

"Farkında mısın bilmem, bizden başka denize giren pek çıkmadı, çoğu havuzu yeğledi. Bana öyle geliyor ki, okyanustan korkuyorlar."

"Biz Akdenizliyiz," dedim, "yüzmeyi fırtınalı sularda öğrendik."

"Bu tatil, aslında tatil sayılmaz ya, tam zamanında bitti. Sıkılmaya başlamıştım. Sen ne âlemdesin? Son günlerde hiç konuşmuyorsun?"

"Her zamanki gibi," diye yanıtladım. Sorusunun gerçek karşılığını vermem yıllar sürerdi.

Şiddetli bir yağmur başlamıştı, tropiklerin veda yağmuru. Suda sırtüstü uzanmıştım, damlaların küçük tokatları yüzüme iniyordu. Gökyüzü benim için ağlıyordu.

"Maya, Karayipler'in, senin Karayipler öykünün ana teması neydi?"

Bir an düşündü Maya.

"Duyumsamak. Sıcağı, yağmuru, rüzgârı. Güneşin keskin ışınlarının her bir hücremi ısıttığını hissetmek. Vücudumdaki ter damlaları, tuz kokusu. Bunun uzantısı da cinsellik bence. Kalabaş'ta, ikimizin de değişik biçimlerde yaşadığı deney, tropiklerin doğal sonucuydu."

"Bence de."

Maya'nın olayların özünü yakalama yeteneğine oldum olası hayrandım. Son günlerde hiç doğru dürüst konuşmamıştık, ama Kalabaş'taki dansımı seyretmesi yetmişti olup biteni anlamasına. Beni, tanıdığından beri ilk kez, cinselliğimi sergileyen bir davranışta bulunurken görmüştü. İki yıldır ilk kez birini arzuluyor ve bunu pervasızca ortaya koyuyordum.

"Gecen nasıl geçti?"

"Hangi gece?"

"Otele dönmediğin gece."

"Homojen hayatıma biraz serüven kattım."

Fizik terimleriyle konuşma alışkanlığıma geri dönüyordum ister istemez. Maya, John'u tanımıyordu bile, doğal olarak, tropiklerdeki cinsel devrimimi, kulüpteki çekici Rasta'yla sonuçlandırdığımı varsayıyordu. Nereden bilebilirdi ki? Son üç gündür saçmalayıp durmuştum, yaptığım aptallıkları Maya'ya bile anlatmaya utanıyordum.

"Seninki nasıl geçti?"

"İkimizin de yaşadığı deney," demişti. Cuma gecesi, onu bir ara Martin ile sarmaş dolaş gördüğümü hayal meyal hatırlıyordum.

"Hiçbir şey olmadı, yani hiç kimseyle olmadım. Tropiklerde yaşam cinsellikle dolu zaten, nasıl desem, akciğerin havayla dolu oluşu gibi. İnsan sevişmeye bile gerek duymuyor. Ben bile duymuyorum."

Gülüştük. Maya'nın cinselliğe düşkünlüğü aramızda sık sık şaka konusu olurdu. Onun yatak odası serüvenlerini utangaç ve alaycı bir gülümsemeyle, biraz kızarıp bozararak, biraz da imrenerek dinlerdim. Bir rahibenin günah çıkaran deneyimli bir kadını dinleyişi gibi.

"Ben de kendimi keşfediyordum. Bunun için niye bir başkasına, hele hele bir erkeğe ihtiyacım olsun ki?" Ansızın suya daldı. Bulunduğumuz noktada, derinlik hemen hemen dört-beş metre olduğu için dibe ulaşamayacağını sanıyordum. Ama ulaşmış. Çıktığında, elinde süt renkli, iri bir deniz kabuğu vardı.

"Dün gece Rus'un attığı kabuklardan olmalı, yoksa bunlar çok derin sularda bulunurlar. Boş yere öldürdü hayvancıkları."

"Öldürdü mü?" diye sordum safça. Bu kabukların içinde yengeçlerin yaşadığı bir kez olsun aklıma gelmemişti.

"Elbette, bu tür yengeçler kabuksuz yaşayamazlar."

"Belki kendine başka bir kabuk bulmuştur," dedim, sevecenlikle incelerken kabuğu. Bir mezar taşı kadar durgun ve hüzünlüydü. Hayat kaynağı olduğu canlı ölüp gittikten sonra varoluşunun gerçek nedenini sorguluyormuşçasına da düşünceli. Dünyanın bütün ayrılıklarını, bütün yalnızlıklarını içinde barındırıyordu.

"Hiç sanmam, çoktan yem olup gitmiştir. Saklamak ister misin?"

"Hayır, hayır. Onun yeri okyanus, hem zaten, bende başka..."

Cümlemi tamamlamadım. Birdenbire, Maya'nın Kabuk Adam'dan bütünüyle habersiz olduğunu şaşırarak ayrımsamıştım. Yemek kuyruğundaki dalaşmamızdan sonra, bana esrarengiz yerli hakkında bir şey sormaya çekinmişti. Ben de, inatçı, biraz da kırgın bir suskunlukla konuyu hiç açmamıştım. Kısa boylu, sıska, gece gündüz yün bereyle dolaşan bir yerliyle kuytu köşelere gidip geldiğimi görmüştü görmesine, ama o çirkin adamla aramda marihuana alışverişi dışında herhangi bir ilişki olabileceği aklına bile gelmemişti. Belki de onu, oldum olası ilgimi çeken sıradışı kişiliklerden biri, "esrarengiz insanlar koleksiyonumda," Karayipler'e özgü, tuhaf ve egzotik bir parça olarak düşünmüştü.

"Havlular sırılsıklam olmadan çıkalım mı?"

"Sen çık, ben biraz daha yüzeceğim."

Son bir kez mercan kayalıklarına doğru yüzmeye başladım, nasıl olsa varamayacaktım. Aslında hiç denememiştim bile. Sürekli Tony'nin sesini duyuyordum. "Bugün mercanlara gidelim mi?" "Sana söylemiştim, hindistancevizi ağaçlarının altına." "Sana öğretebileceğim çok şey var, senin de bana."

Odasına dönmeden önce, tek karelik filmi kalmış olan Maya, boş kumsalın fotoğrafını çekmiş. Rastlantı bu ya, Tony'yi ilk ve son kez gördüğüm, incecik siluetinin okyanusun karanlığında belirdiği yeri yakalamış. Az sonra yağacak yağmurun habercisi kapalı gökyüzü, şiddetli rüzgârla savrulan palmiyeler ve bomboş bir kumsal. Bu fotoğraf, Karayipler öykümün bir simgesi oluverdi çünkü içinde Tony yoktu.

Bu öykünün sonuna geldiğimi sanıyordum ki Karayipler bana son bir sürpriz daha hazırladı. Atlanta'ya gidecek uçağım, elektronik bir arıza yüzünden havalanamadı. Akşamüstü, arıza giderildikten sonra, havayolu şirketi, isteyen yolcuların adada bir gece daha kalabileceklerini bildirdi. El bagajımı toparlayıp kapıları kapanmak üzere olan uçaktan inmem herhalde yarım dakika bile sürmemiştir. Şansım ondan sonra da yaver gitmişti, otele telefon edip John'u resepsiyonda yakalamış, saat onda orada olacağımı söylemiştim. Bu gece Tony'yi bulacağımdan kesinlikle emindim. Beni geri çağıran, adadan gitmemi engelleyen oydu. Bir mucizeydi bu, bir büyünün sonucuydu. Her şeyi düzeltmem için son bir fırsat daha verilmişti bana.

"İnsanın aklına ölümcül düşünceler geliyor. Belki bu uçak düşer," dedi, uçaktan inen diğer yolculardan biri. Toplam altı kişiydik ve hepimiz fizikçiydik. O an hiç kimseye söylemedim ama içime doğmuştu. Belki de bu adada bir gece daha kalmakla ölümcül bir tehlikeye atılıyordum.

Bekçi üniformalı John, her zamanki sessizliği ile karşıladı beni. Otele, sırf Tony'yi aramak için dönmüş olmama da herhangi bir tepki göstermedi. Taksiden iner inmez kumsala koşmuş, iskeledeki kalabalık topluluğu görünce yerimde duramaz olmuştum. Tony mutlaka oradaydı.

"Benimle iskeleye yürümek ister misin?"

"Lütfen beni yanlış anlama ama kesinlikle olmaz. İstersen tek başına gidebilirsin, seni engellemeye çalışmayacağım. Bekçi üniformasıyla oraya gitmem çok tehlikeli, bunu bir kışkırtma, hatta hakaret olarak yorumlarlar."

Doğruyu söyleyip söylemediğini anlayamıyordum. Üstünde, görebildiğim kadarıyla bir dalgıç bıçağı, bir elektrikli cop ve bir de göz yaşartıcı sprey vardı. Neden korkuyordu bu kadar?

"Tamam, tamam. Ben yalnız gidebilirim."

Bana engel olmayı denemedi, zaten o anda hiç, ama hiç kimse beni iskeleye gidip Tony'yi aramaktan alıkoyamazdı.

"Dur, şunu yanına al. Gerekirse kullanırsın. Dikkat et, kendine doğru sıkma."

Göz yaşartıcı spreyi uzatmıştı.

"Tam burada seni bekleyeceğim. Bir şey olursa bağır, yardıma gelmeye çalışırım."

Bir elimde göz yaşartıcı spreyim, bir elimde sigaram, uçarcasına yola koyuldum. Öyle umutlu ve coşkuluydum ki ıslık çalıyordum. Tony'yi tekrar görme olasılığı beni mutluluktan sarhoş etmişti. Zifiri karanlıkta, çalıların arasından yarasalar gibi fırlayıp karşıma çıkan gruba hiç aldırmadım bile. Büyük olasılıkla Proje'den gelen, on beş-on altı yaşlarında gençlerden oluşmuş yedi (bu sayı önemli!) kişilik bir çeteydi bu. Neşeyle, "İyi geceler," deyip durmaksızın yoluma devam ettim. Şaşkınlıktan küçük dillerini yutuyorlardı az daha, içlerinden birisi zor bela, "Sana da," diyebildi.

İskeleye dağılmış, kimisi lambanın altına, kimisi karanlık köşelere çömelmiş yaklaşık yirmi beş kişinin arasında Tony'nin bulunmadığını bir anda sezmiştim. Hepsi Tony'yi andırıyordu oysa. Karayipliydiler, gettoda yaşıyorlardı, benzer işlerde çalışıp benzer yazgıları paylaşıyorlardı. Bir şeyi daha ilk anda sezmiştim, orada kesinlikle istenmediğimi. İskeleye adımımı atar atmaz, korkunç bir sessizlik başlamış, bütün yüzler bana doğru çevrilmişti. Karanlıkta bile yüzlerinin nasıl sertleştiğini görebiliyordum. Yanlışlıkla düşman topraklarına girmiş acemi bir eri izliyor gibiydiler. İnsanlığın ilk çağlarından kalma bir içgüdüyle, iskelenin tam ortasında yakılmış küçük ateşe yöneldim. İki kişi vardı ateşin yanında, birisi ayaktaydı, öteki çömelmiş, öne doğru eğilmişti. Ve son anda fark ettim, ölümcül bir hata yapmıştım işte. Çömelmiş adamın elinde en az otuz santimlik bir bıçak vardı. Çok geçti artık.

"İyi akşamlar. Ben Tony'yi arıyorum."

Sesim hiç ummadığım kadar sakin çıkmıştı, oysa titriyordum. Gözlerimi ayaktaki adama diktim, karanlıkta parıldayan bıçağa kesinlikle bakmamalıydım. Hiç kimse cevap vermedi bana.

"O hep buralardadır. Proje'de oturuyor. Deniz kabuğu satar."

Korkunç sessizlik devam ediyordu. Her geçen saniye daha da artıyor, pıhtılaşıyor, fiziksel bir ağırlık kazanıyordu. Zaman ölümcül bir düşmana dönüşmüştü. Diri diri mezara gömüldüğümü hissettim. Ağırlaşan kafamı eğmekten alıkoyamadım kendimi, bıçaklı adamla göz göze geldik. Hayatım boyunca benzerini görmediğim bir nefretle doluydu bakışları. Beni dinlemiyordu bile, söylediklerime, söyleyebileceklerime kesinlikle aldırmıyordu. Tek arzusu, tek bir varoluş nedeni kalmıştı, beni yok etmek. Bıçağı sapından sıkıca kavramış, yüzüme doğru uzatmıştı. Vücudu, bıçağın bir uzantısıydı, sanki o bıçağa değil de, artık bıçak ona hükmediyordu. Ne pahasına olursa olsun, havada ufak daireler çizmeye başlamış bu korkunç nesneden gözümü ayırmalıydım. Yoksa...

Beynim makineli tüfek hızıyla kaçış yolları arıyordu. Sprey? Yirmi beş kişiye karşı gülünç bir silahtı. John varana dek işimi çoktan bitirirlerdi, zaten geleceğinden bile emin değildim. Okyanus! Suya hemen hemen üç-dört metre mesafe vardı ve hiçbir engellemeyle karşılaşmasam bile, bu titreyen bacaklarla o kadar yürüyemezdim. Yapabileceğim, beni kurtarabilecek tek bir şey vardı, yalnızca bir şey, konuşmak. Hiç susmadan konuşmak, derdimi anlatmak. Niyetimin kavga olmadığını göstermek için spreyi cebime koydum ve konuşmaya devam ettim.

"Tony'yi mutlaka bilirsiniz. Benim arkadaşım o. Zayıf, çok zayıf, kısa boylu! Sol kulağında altın bir küpe var. Bu civarlarda dalar, deniz kabuğu çıkarır."

Ayakta duran adam beni hâlâ dinliyordu ve o beni dinlediği sürece yaşama şansım vardı. Öbürünün hiç umrunda değildi anlattıklarım. Beni tanımıyordu, tanımak da istemiyordu. Benim de bir insan olduğumu kabullenemezdi o anda. Sonuçta ben bir beyazdım ve bu da benden öldüresiye nefret etmesi için yeterliydi. Böylesine bir ırkçılık ve kinle ilk kez karşılaşıyordum. Korkunç bir haksızlıktı bu. Türkiye'de doğup büyümüştüm, köleci, sömürgeci Avrupalılarla hiç ilgim olmadığı gibi, son iki yıldır milliyetim yüzünden sürekli dışlanmış, aşağılanmıştım. Avrupalıların gözünde "renkli" idim, beyaz bile sayılmıyordum yani. Irkçılığa, ayrımcılığın ve sömürünün her türlüsüne karşı koymayı varoluş nedenlerimden biri sayardım. Yeryüzünde, öleceğimi ve bunun hiçbir işe yaramayacağını bile bile katılacağım bir ayaklanma varsa, o da ancak Soweto'da olabilirdi. Yakın arkadaşlarım işkence gördüğü, hapsedildiği, öldürüldüğü için, Güney Afrika'da olsun, Şili'de olsun, atılan her işkence çığlığını yüreğimde duyardım. Kişisel tarihim, kendimi hep acı çekenlerle özdeşleştirmeme neden olmuştu; Kızılderili direnişleri ya da toplama kampları avuçlarıma kazılı gibiydi. Sırf açık tenli olduğu için öldürülmek, hayatı boyunca bir kez bile beyaz olduğunu aklına getirmeyen, kendini böyle tanımlamayan, kaldı ki bundan utanç duyacak biri için ne büyük bir haksızlık!

Artık söyleyecek bir şeyler bulmakta zorlanmaya başlamıştım. Nasıl olur da Tony'yi tanımazlardı, anlamıyordum. Belki de tanımazlıktan geliyorlardı. Gözüm bir kez daha bıçağa kayarsa yere düşecektim ve her şey bitecekti. Fizik semineri için geldiğim bu küçücük, tropikal adada, Karayipler'de, bu olağandışı, yapay, rengârenk, büyülü, hayaller ülkesinde ölüp gidecektim. Üstelik de âşık olduğum adamı, Tony'yi ararken. Kabuk Adam beni öldürmek için mi geri çağırmıştı? Bu nedenle mi girmişti hayatıma? Azraille seviştiğim rüyayı hatırladım. Doğrusu çok ustaca oynamıştı benimle ölüm!

"Üç renkli bir beresi var. O Rasta." Sonunda sihirli sözcüğü bulmuştum. Rasta!

"Sen ufak tefek siyahiyi mi arıyorsun? Kabuk Adam'ı?"

"Siyahi" sözcüğü vurgulanmıştı. İlk söylemem gereken de buydu işte, "Siyahi!" Ama ben, insanların siyah ya da beyaz diye sınırlandırıldığı bir toplumda yetişmemiştim. Tony'yi onca ayrıntıyla betimlerken -herhalde hayatı boyunca hiç kimse Tony'yi böylesine ayrıntılı anlatmamıştır- siyahi olduğunu söylememiştim. Pratik bir Amerikalının kolayca düşünebileceği bir şey, benim aklıma bile gelmemişti, gelseydi bile, bunu ırkçılık sayacağımdan söylemeye utanırdım. İster istemez bağırdım.

"Evet, o tabii! Tony işte! Benim arkadaşım. Tony, Kabuk Adam."

Ayaktaki adam, sadece karaderililere özgü, o bembeyaz gülümseme ile gülümsedi, ansızın yüzünde bir lamba yanmış gibi. Diğerinin ise yüz hatlarının gevşediğini, gözaklarının eskisi gibi parlamadığını gördüm. Bıçak yere kondu. Kurtulmuştum.

"Ona söyler misiniz lütfen, Türk kadını onu arıyor."

Bu sefer, ben de "Türk" sözcüğünü vurgulamış, gözucuyla, olası celladımı süzmüştüm. "Beni yok yere delik deşik edecektin," dercesine. Olup bitenleri kısaca özetleyip ertesi sabah iskelede bekleyeceğimi Tony'ye iletmelerini rica ettim. Elimden daha fazlası gelmezdi, içlerinden biriyle Proje'ye gitmem söz konusu değildi elbette. Buna ne ben cesaret edebilirdim, ne de onlar gettoya girmeme izin verecek kadar bana güvenebilirlerdi.

Yaşadığım serüvene hiç şaşırmayan John, aslında sağ salim döndüğüme hayret etmiş gibiydi, anlamını kesinlikle çözemediğim şu cümleyle yanıtladı beni.

"Bıçak, çok çeşitli işlere yarar."

Ertesi sabah, güneş doğar doğmaz kumsaldaydım, iskele ve otel arasındaki sayısız gidiş gelişlerime yeniden başlamıştım. Hücresinde voltalayan bir mahkûm kadar iyi biliyordum bu yolu artık. Bu mercan kayalıklarıyla kapalı koy, hindistancevizi ağaçlı burunda biten daracık kumsal ve tahta iskele bütün evrenim olmuştu. Ne kadar sınırlıydı aslında, sonsuzluğun yanı başında, varla yok arası, önemsiz bir noktaydı. Okyanusu da kaybetmiştim artık, Kabuk Adam'ı kaybettiğim gibi ve kendi küçük evrenimde sonsuz bir boşluk, sonsuz derinlikte bir kuyu açılmıştı.

Bir keresinde, çalıların arasında, Tony gibi çömelmiş, marihuana içen bir yerliyi görünce hızla ona doğru koşmuş, sonunda hiç tanımadığım birisiyle burun buruna gelmiştim. Apansız baskınım, adamın sabah keyfini altüst etmişti. "Jogging" yapan bir turist kadın ve traktörle sahildeki yosunları toplayan genç bir adalı dışında, hiç kimseye rastlamadım o sabah. Güneş iyice yükselince, cehennem sıcağında kavrulmaya başlamıştım, şapkam ve güneş yağım da bavulumun içinde New York'a uçmuştu üstelik. Artık bu acımasız güneşe, iki gün iki gece süren bekleyişe daha fazla dayanamıyordum. O kadar uzun süre beklemiştim ki, Tony'nin gerçekte var olduğundan, hayalimde yarattığım bir imgeden başka bir şey olmadığından kuşkuya kapılmıştım. Hem onu bulsam bile ne söyleyebilirdim ki? Çok geç kalmıştım, en başından beri çok geç.

Tony'yi çoktan, düşünülebilecek en korkunç biçimde yitirmiştim ve bu da hayatımın en acı verici kaybıydı. Kabuk Adam, burun deliklerime hayat üfleyerek canlandırmıştı beni ve sonra da bu ıssız, buzullarla kaplı gezegende, tek başına bırakarak gitmişti.

St. Croix'daki son saatlerimde, öykünün figüranları (ne yazık ki baş oyuncular sahneyi çoktan terk etmişti), veda selamı verircesine teker teker karşıma çıktılar. Afrika kolyeleri ve Malcolm X tişörtleri satan çocuğa rastladım örneğin. Beni anımsamasına epeyce şaşırdığım, Buck Adası rehberlerinden biriyle bira içtim ve Marcos'a selam söyledim. Kalenin önünde karşılaştığım Thomas ise, her zamanki ısrarcılığıyla beni evine davet etti, Tony ile arkadaşlığımı son bir kez sorguladı (ona göre biz sadece seks arkadaşı olabilirdik) ve uçağımın kalkmasına iki saat kalmışken, adadan gitmemem ve onunla yaşamam için adeta yalvardı. Bu son sohbetten, Thomas'ın, dün gece otelle iskele arasında bir yerlerde, yedi kişinin saldırısına uğrayıp parasını çaldırdığını öğrenmiştim. Benim neşeyle "iyi geceler" dediğim grup olduğunu kanıtlayamam elbette, ama güçlü bir tılsımın, beni bir kez daha koruduğuna inanıyorum.

İçimde bastırmaya çalıştığım o zayıf umut, Tony'ye rastlama umudu, havaalanına kadar eşlik etti bana. Tony gelmedi, önceki günkü mucize tekrarlanmadı ve uçak tam saatinde havalanarak, beni çok uzaklardaki New York'a götürdü.

Binlerce metre yükseklikten bakıldığında, Karayipler, okyanusun tekdüze, cansız maviliğinde sıralanmış, irili ufaklı, sarı-kahverengi adalardan oluşuyordu. Birbirinden ayırt edilemeyen, çorak, kişiliksiz adalar; mavi bir masa örtüsündeki kurabiyeler gibi. Buraların dilsiz güzelliklerinin ne kadarını yaşayabilmiş, gölgesiz kumsallarda ve deniz kabuklarında binlerce yıldır saklanan sırların ne kadarını çözebilmiştim? Tutku ve korku dolu uzun yolculuğumda, Oklar Körfezi'ne gitmeyi bile unutmuştum. Sonuçta, tek bir insan yüzü kalmıştı geriye Karayipler'den, bütün yolculuklardan ve kıtalardan, bütün bir tarihten daha anlamlı olan insan yüzü. Yaşamımın anahtarı, Kabuk Adam'ın gözlerinin kapkara derinliğinde gömülü olacaktı bundan böyle.

New York'ta geçirdiğim o kısacık haftada, yaşadığım dönüşümün belirtileri ortaya çıkmaya başladı. Farkında olmaksızın, başka biri olup çıkmıştım. Eski benliğimi, kurumuş bir kabuk gibi geride bırakmıştım ama yeni benliğime de bütünüyle sahip çıkamamıştım. Bir geçiş döneminde, iki ayrı varlığı bünyesinde barındıran, melez bir yaratık gibiydim. Ölümü çılgıncasına kovalıyor, en tehlikeli sokaklarda tek başıma dolaşıp en tehlikeli insanlarla iletişim kurmaya çabalıyordum. Öte yandan, yaşama hiç bu kadar sıkı sarılmamış, dünyayı hiç böyle karşılıksız, içten sevmemiştim. Bir keresinde, beni evine kilitleyen bir psikopatın elinden zar zor kurtuldum. Cebimde üç-beş dolarla, bir otobüse atlayıp Massachusetts'deki bir Kızılderili powvow'una (bir tür şenlik) katıldım ve geceyi gerçek bir teepee'de (Kızılderili çadırı) Kızılderililerle geçirdim. Hırsızlar, alkolikler, Vietnam gazileri, bıçak atıcıları arasındaydım ve huzurluydum. Beni hemen, sorgusuz sualsiz kabul etmişlerdi. İki müthiş dost edinmiştim. Atik Kartal ve Su Yılanı. Su Yılanı, silahlı soygundan altı yıl hapis yatmış eski bir eroinmandı. Atik Kartal ise, rezervasyonda çıkan çatışmada bir FBI görevlisini öldürmekten yargılanmış ve aklanmıştı. Aldığım sıkı küçük burjuva eğitiminin, hırsızlık yapmamı kesinlikle engellemesine karşın ertesi sabah, Su Yılanı süpermarketten yiyecek aşırırken onun yanı başındaydım.

Sonuçta, Amerika yolculuğu da hayatımdan bir kuyrukluyıldız gibi kayıp geçti. "Gerçekliğe" yani fizik laboratuvarına döndüğümde, katlanılmaz oldu her şey. Yeni kimliğimle eski hayatıma uyum sağlamam olanaksızdı. Gece gündüz marihuana içmeye, hayal kurmaya ve Kabuk Adam'ı özlemeye başlamıştım. Bilgisayarın başındayken, geceleri, sessiz sokakları, Cenevre'nin bol ışıklı caddelerini arşınlarken, yatağıma uzandığımda, hep Tony ile beraberdim. Bazen, bir fizik toplantısında ya da kafeteryada, Tony ile konuşmakta olduğumun farkına varıyordum. Aramızda gerçekten geçmiş bir konuşmayı defalarca tekrarlıyor, değiştiriyor, ona söyleyemediğim, söylemek için çok geç kaldığım cümleleri kendi kendime mırıldanıyordum. Sabahları uyandığımda ağlamış oluyordum, çünkü hemen her gece, o uzaklardaki adaya dönüyor ve onu arıyordum. Bir keresinde, Cenevre'nin kuruluş bayramıydı; Tony'ye çok benzeyen bir karaderiliyi, beyaz bir kızla el ele görmüş, dakikalarca taşlaşmış gibi, hiç kıpırdayamadan kalakalmıştım. O anda, canlı canlı derim yüzülüyormuşçasına acı çekiyordum, gözyaşlarına izin vermeyecek denli katı, yoğun, asit gibi bir acı. En mutlu olduğum zaman, öğleden sonraları, laboratuvarın bahçesindeki gizli köşeme çekilip bir çam ağacının altında cigaralık içtiğim anlardı. Yorgun düşmüş eylül güneşinin soluk, yavan ışınlarıyla ısınmaya çalışarak, o keskin tropikal sıcaklığı hayal ediyordum. Rüzgârlı kumsalı, hindistancevizi ağaçlarını, okyanusu. Kabuk Adam'ı. Onu, gerçekte hiç görmediğim durumlarda düşlüyordum. Tony mercanlarda, suyun altındaki incecik, esnek bedeni; Tony dans ederken, sert kalçaları avuçlarımın içinde; Tony hindistancevizi ağaçlarına tırmanırken (Maya'nın fotoğrafını çektiği yerli gibi); Faray'ın, Marcos'un ve daha onlarca insanın imgeleri, Tony'ninki ile bütünleşiyordu. Tony sevişirken. O tek, sihirli dokunuşunun sırtımda bıraktığı izleri bedenime yayıyor, sayısız kez beraber oluyordum onunla. Hindistancevizi ağaçlarının altındaki otel yıkıntısında, çalılıklarda, iskelede, tropikal günbatımlarında. Gerçekte bana elini sürmesine izin vermemiştim, ama fantezilerimde, vücudumu ve ruhumu, bütünüyle, hiçbir şeyi saklamadan ona sunuyordum. O tılsımlı, güçlü ellerini dolaştırıyordu bedenimde -parmak uçları nasırlı olmalıydı- ya da keskin bir bıçağı; derin, dupduru bakışlarında, titreyerek, bir midye gibi açılıyordum. Göğsündeki yara izlerini öpüyor, koltukaltlarının kendine özgü kokusunu soluyordum, teninin kopkoyu karanlığını içime çekiyordum. O son geceye, okyanusa bakan balkona dönebilseydim. Bu sefer ona dokunmayı başaracaktım. Ona sarılmayı, onu hiç bırakmamayı.

Korkunç bir yitirme duygusu ve fantezi arasında sarkaç gibi gidip geliyordum. Sonuçta, katlanılmaz olan gerçeklikti ve bir bataklıkta yavaş yavaş boğulurcasına, hayal dünyamın derinliklerine batıyordum. İçimdeki bir kukla, fiziği, sosyal ve mesleki ilişkilerimi yürütürken, asıl benliğim hâlâ o adadaydı. Delirmekten korkmaya başlamıştım. Tony, hiç kurtulamadığım, içinde yitip gittiğim bir saplantı olmuştu. Aşkın zirvesi de bu olmalıydı. Bir nesne ve bir simge olan Kabuk Adam'a duyduğum aşk. Gerçek Tony'yi, bir insan olan Tony'yi doğru dürüst sevmeyi başaramamıştım, ama bir mitosa dönüştürdüğüm Kabuk Adam'a benliğimi adamış, onun imgesini Tanrılaştırmıştım. Bir peygambere, bir ağlama duvarına, gerçek dünyadan kaçıp içine sığınabileceğim bir kabuğa dönüşmüştü Tony. Dahası giderek ona benziyordum.

Her geçen gün daha uyumsuz, daha ayrıksı oluyor, suç işlemek, tehlikeye atılmak için karşı konulmaz bir eğilim duyuyordum. Artık yalnızca arka sokaklarda barınabiliyor, soluk alabiliyordum. Geceleri, işten çıkar çıkmaz, elimde fizik notlarımla, kentin en sıradışı insanlarının toplandığı, fabrikadan bozma bara gidiyor ve hemen bir cigara sarıyordum. Kısa zamanda, bu çok zengin, diplomasi ve bankacılık merkezi kentin hemen bütün Rastalarını, keşlerini, sabıkalılarını tanımıştım. Anayurtlarından, köklerinden kopuk göçmenlerle doluydu Cenevre ve ben bunu yeni keşfediyordum. Dostlarım arasında Afrikalı Rastalar, Şilili politik göçmenler, Arap esrar satıcıları vardı. Yürekleri kanayan, kaybetmenin gerçek anlamını bilen insanlardı bunlar. Geçmişlerini, derin bir yara izi, bir kambur, sararmış bir fotoğraf gibi taşıyorlardı. Çoğu, içinde barındığımız toplumu ancak bir marihuananın verdiği keskinlik ve duyarlılıkla kavrıyor ve reddediyordu.

Kuytu köşelerde yetişen mantarlar gibi bir araya toplanmış da olsak, aslında hepimiz kendine özgü, yalnız insanlardık ve ben, Tony'yi yitirdiğimden beri, yalnızlığıma dayanamaz olmuştum. Aynı gece içinde, Zaireli bir yazarla Afrika yemeği yiyip Afrika edebiyatı tartışıyor; bir Kolombiyalının hapishane anılarını dinliyordum (polisten kendi saksofonuyla yediği dayağı anlatırdı hep); kaçak işçi, yapayalnız, yoksul bir Ganalıyla, kentin en salaş barlarında sarhoş oluyordum. Sabaha karşı da, Faslı bir esrar satıcısıyla göl kıyısında oturup benim için sakladığı son cigarayı içiyordum.

Güneş, Mont Blanc üzerinden doğarken, o Casablanca'ya dek gidiyordu, bense İstanbul'a. Yatağıma döndüğümde, yalnızlık bir yumruk gibi boğazıma çöküyordu. İşte o zaman, çekmeceden uyku haplarını alırcasına, belleğimden Tony'nin imgesini çekip çıkarıyordum.

Yalnızca fantezi düzeyinde bile olsa, beni sonsuza dek terk ettiğini sandığım cinsel arzum geri gelmişti. Uzun yıllar hapis yatmış birinin, bir gün ansızın çıkıp gelmesi gibi. Hâlâ hiç kimseye dokunamıyordum ama Tony'yi biraz andıran bütün erkekleri istediğimin bilincindeydim. Tony'ye, daha doğrusu düşlerime bir ihanet değildi bu, tam tersine, onların sonuna dek kutsallaştırılması, putlaştırılmasıydı. Sonbaharın sonuna doğru, paramın bitmesine çok az kalmış ve İstanbul'a kesin dönüşüm yaklaşmışken, bir reggae konserinde, Jamaikalı bir Rasta olan Fighter ile tanıştım. Tony'ye ikiz kardeşi kadar benziyordu ya da ben öyle algılıyordum. Avrupa'da geçirdiği yıllar boyunca tortulanmış da olsa, Tony'nin sevecenliğine, duyarlılığına ve derinliğine sahipti. Daha ikinci buluşmamızda Kabuk Adam'ın öyküsünü anlattım ve aynı gece seviştim onunla. Ertesi sabah, uykumda ona sımsıkı sarıldığımı ve, "Tony, özür dilerim" dediğimi söyledi. Gerçek adı da Tony'ymiş, Fighter (Savaşçı) yalnızca bir takma adıymış. Kimlik kartını gösterdiğinde, yazgının, bu öykünün sonunu kusursuz bir biçimde yazdığını anladım. "Raymond Antony Clark" yazılıydı kimlikte, o hindistancevizi ağaçlarının altında, otel yıkıntılarında bana gösterilen kimlikte yazdığı gibi. "Bak bu 'A'. Antony'nin A'sı. Tony de onun kısaltılmışı." Jamaikalılar için hindistancevizinin anlamını Fighter öğretti bana. Kendi ellerinle kopardığın hindistancevizinin sütünü içen bir kadın, seni hiç unutmaz ve bir gün mutlaka dönermiş.

Tony'den bir daha hiç haber alamadım, St. Croix'ya, John'un adresine yolladığım mektup yanıtsız kaldı. Adaya, aynı kumsala dönüp onu beklemeyi de düşündüm ama vize, para gibi aşılabilir temel sorunların dışında, onun hâlâ orada olup olmadığını bilmemek durdurdu beni. Karayipler'in binlerce adasının, binlerce kumsalından birinde olabilir Tony, hatta binlerce cezaevinin, binlerce hücresinden birinde. Mercanlar, köpekbalıkları ve kurşunlarla dolu bir cangılda yitip gitti. Belki de köşeyi dönmüş, Florida'ya giden o uçağı yakalamıştır, yepyeni bir hayatın tadını çıkarıyordur. Kim bilebilir ki? Belki de, ben tam bu öykünün sonunu yazdığım anda, Kabuk Adam okyanusun öbür ucunda, bir hindistancevizi ağacının altına oturmuş, cigara sarıyor, esrarengiz Türk kadınını, aşkla, özlemle ya da nefretle hatırlıyordur. Umarım kendisine duyulan olağanüstü aşktan ve öyküsünün yazıldığından bir gün haberi olur. Belki de, küçük deniz kabuğu kolye, ikizinin yerini fısıldıyordur. Ben, o birbirinin eşi deniz kabuklarının tılsımlı olduklarına inanıyorum. Artık sık sık atıldığım tehlikelerde, hiç yanımdan ayırmıyorum kolyeyi ve her sabah uyanır uyanmaz ona dokunuyorum. Günün birinde, kendi kendine kırıldığını görürsem eğer, anlayacağım, Kabuk Adam Tony, bilmediğim bir yerde, bilmediğim bir şekilde ölmüş.